LE SANG
DE L'ESPOIR

<![CDATA[
]]>

SAMUEL PISAR

LE SANG
DE L'ESPOIR

ÉDITIONS ROBERT LAFFONT
PARIS

A ma Mère

ISBN 2-221-00244-X

SOMMAIRE

J'ai vécu l'avenir

1

Figé comme une statue face à l'immense assistance, je sens, pour la première fois, que mes plaies sont en train de se rouvrir.

Valéry Giscard d'Estaing, à ma droite, lentement, humblement, détache avec gravité ses mots : « Nous devons enseigner à la jeunesse du monde l'horreur de cette horreur. »

Nous sommes à l'intérieur du plus répugnant des camps de mort nazis. Le président français a choisi de visiter Auschwitz à une date symbolique, le

18 juin, trente-cinquième anniversaire de l'appel historique de Charles de Gaulle, l'appel qui rendit son honneur à la France.

Le président polonais, Edouard Gierek, à ma gauche, écoute, immobile. L'horreur du lieu abolit les différences politiques. Démocrates et communistes, tous éprouvent, pour un moment, la même douleur.

Giscard se tourne vers Gierek : « N'oublions pas que c'est ici, pour la première fois, dans ces camps, que l'Est et l'Ouest se sont rencontrés : un même combat pour les mêmes valeurs a fait que l'armée soviétique libérait Auschwitz alors que l'armée américaine libérait Dachau. »

Oui, c'est dans une forêt près de Dachau que l'armée américaine me libéra. Je revois ce tank, frappé d'une étoile blanche, apparaissant au milieu de la clairière et moi, enfant terrorisé, qui bondis sans réfléchir, de ma cachette vers la liberté, les balles sifflant, tout autour.

« Comme l'a dit un des plus jeunes rescapés d'Auschwitz qui est aujourd'hui parmi nous : un quart de siècle a montré que la construction de ponts au-dessus du gouffre idéologique qui nous sépare est une tâche difficile. Mais, pour notre survie, et pour notre liberté à tous, rien ne doit nous arrêter dans cette tâche. »

10

Je reconnais ces mots. Le Président cite là un extrait de mon livre, qu'il a lui-même préfacé.

Il termine. Un silence pesant étreint soudain le lieu. Je ne dois pas me laisser gagner par l'angoisse du passé. La solennité de la cérémonie officielle doit être préservée. Mais des images brouillées dansent devant mes yeux. Les costumes sombres des personnalités commencent à ressembler aux treillis en loques dont j'étais vêtu, ici, avec mes camarades.

Les deux présidents, les ministres, les généraux, les ambassadeurs, tous sont prisonniers dans le camp avec moi, alignés par les gardes SS, pour l'appel rituel de chaque matin et de chaque soir. Les éternelles haines qui se rallument, les mêmes faillites qui recommencent, nous ont encore une fois ramenés ici.

Je suis anesthésié. Mon seul lien avec la réalité reste ma femme Judith. Sa présence, sa beauté, qui tranchent avec cet environnement sordide, me prouvent que je suis vraiment vivant et libre.

Juste derrière moi, Claude Pierre-Brossolette, le secrétaire général de l'Elysée dont le père périt comme le mien, dans les cellules de torture de la Gestapo. Claude, lui aussi, est anesthésié. Nous sommes unis par le même chagrin, le même silence.

Une batterie de caméras de télévision, et par elles des dizaines de millions d'hommes et de femmes, à l'Est et à l'Ouest, nous observent. Je me ressaisis.

11

Je serre dans ma main la courte allocution que j'ai rédigée. Mes lèvres commencent à bouger silencieusement, à la cadence du Kaddish, l'antique prière hébraïque pour les morts :

« Revoir à vos côtés, monsieur le Président, cet autel de l'holocauste où, encore enfant, je suis mort de tant de morts, où j'ai vécu tant de tortures, où tout ce que j'avais pu aimer a été réduit en cendres, est une expérience qui bouleverse l'âme... Mais c'est aussi un voyage de la tragédie au triomphe.

» D'ici, vous parlez aux générations, aux races, aux nations, aux riches et aux pauvres. Vous avez choisi l'endroit même de la plaie la plus profonde dont fut jamais frappée la communauté des hommes. Là où Eichmann éclipsa l'enfer de Dante. Sur cela, je vous apporte mon témoignage personnel, celui d'un des rares survivants et — d'après les archives de l'enfer — le plus jeune peut-être de tous.

» Ce que nous venons de voir, durant notre marche silencieuse à travers cette usine de la mort, a sans doute été pour vous le symbole de l'horreur. Pour moi, parmi les réminiscences innombrables, une image, inoubliable, se détache, la seule dont j'aimerais dire un mot.

» Face à ces miradors et à leurs mitrailleuses était assis, troupe en haillons rayés, le plus remarquable orchestre symphonique jamais rassemblé. Il était composé de virtuoses de Varsovie et de Paris, de Kiev et d'Oslo, de Budapest et de Rome. Les violons qu'ils avaient apportés, comme seul bagage, pour leur dernier voyage, étaient des Stradivarius, des Guarneri, des Amati. Tandis que les chambres à gaz vomissaient feu et fumée, on ordonnait à ces hommes, pour accompagner pendaisons et fusillades, de jouer Mozart. Ce Mozart que, vous et moi, adorons.

» Que ce soit tout pour le passé ! D'ailleurs, durant nos années d'amitié et de dialogue, dans la recherche féconde des armes politiques de la paix, ces souvenirs ne sont jamais venus engourdir notre foi en Dieu et en l'homme.

» Mais le passé risque, de nouveau, d'être le prologue de l'avenir et c'est devant Auschwitz que nous appréhendons le vrai spectre de l'apocalypse. C'est donc le long de ces barbelés qu'à votre exemple l'homme doit venir s'incliner et méditer sur la justice, sur la tolérance, sur le respect des droits humains, et sur la jeunesse du monde.

» Monsieur le Président, vous faites face à votre auditoire le plus grand. Vous avez devant vous, ici même, quatre millions d'âmes innocentes. En leur nom, et avec la seule autorité du numéro matricule gravé sur mon bras, je vous confie que, si elles pouvaient répondre à votre appel, elles feraient certainement monter vers vous une seule clameur : « Jamais plus ! »

***

Savent-ils, ceux qui voient se dérégler, à nouveau, les mécanismes de l'univers, et qui les observent avec lassitude, ou détachement, savent-ils dans leur esprit et dans leur chair où peut nous entraîner cette fatalité ?

Quand Valéry Giscard d'Estaing m'avait demandé, à l'occasion de son voyage officiel en Pologne, de l'accompagner à Auschwitz, j'avais été ébranlé.

Depuis que je suis redevenu un homme libre, à seize ans, j'ai juré de me tourner vers l'avenir, pour réussir une existence normale, créatrice, qui soit réellement une victoire de la vie.

Je voulais oublier ces quatre années infernales passées dans la plus écœurante des poubelles de l'Histoire.

J'avais toujours refusé de retourner sur les lieux où j'avais vu mon univers, ma famille, mon identité totalement anéantis.

Alors que je présidais à Varsovie, quelque temps auparavant, une conférence internationale sur la coopération économique, le gouvernement polonais me demanda si j'accepterais de déposer une couronne à Auschwitz. J'avais refusé, sans hésitation, indiquant que je préférais qu'on m'emmène écouter un concert à la maison natale de Frédéric Chopin.

Mais aujourd'hui mon devoir était d'accompagner

le Président français sur cette terre d'angoisse où mon père, ma mère, ma sœur, mes camarades d'école, mon peuple avaient été mis méthodiquement et industriellement à mort selon un plan qui n'a pas totalement disparu de tous les esprits.

Je me rendais compte que je ne pouvais plus échapper aux impératifs que m'imposait ma survie. La démence, l'irrationnel qui engendrèrent Auschwitz me semblaient de plus en plus réapparaître, sous d'autres formes, à l'échelle planétaire.

J'acceptais donc de revivre, encore une fois, le cauchemar ; pour tirer de son poison la substance qui permette de mieux saisir les raisons de la chute et de la rédemption d'un monde, celui d'hier, celui de demain...

Le destin avait jugé bon de me jeter, à l'âge le plus tendre, au plus violent des carrefours de ce siècle. Je dus affronter non pas un mais deux tyrans, Adolf Hitler et Joseph Staline, et à travers eux les plus impitoyables des systèmes totalitaires. L'empreinte de l'Europe, berceau des plus grandes espérances, racine des pires errements, est bien, à jamais, marquée dans ma chair.

Commençant d'écrire ces lignes — trois années après ce pèlerinage — dans le paysage bienheureux de la Nouvelle-Angleterre, dans ce monde préservé où la démocratie et la prospérité sont si naturellement considérées comme définitivement acquises, la prémonition de nouvelles tragédies me hante et me dicte ce que je dois faire entendre.

Étrange, la façon dont un lien se développe imperceptiblement dans votre esprit, jusqu'au jour où vous vous interrogez, surpris de n'avoir pas discerné plus tôt ce qui vous apparaît soudain avec une telle évidence.

J'observe la dislocation, la confusion, l'angoisse qui resurgissent partout ; et le passé redevient présent.

Les ravages, les souffrances et les passions qui pèsent sur la vie internationale d'aujourd'hui, sont formulés de manière trop froide et impersonnelle par les diplomates, par les économistes et par les hommes politiques. Il y manque la vérité nue.

Or, la course du monde vers l'inconnu, tous les désespoirs et dangers qui nous menacent, je les ai *vécus*.

Chaque grande crise actuelle me rappelle et prolonge un moment de cette époque indicible où l'homme était délibérément détruit, où je devins un sous-homme — avant de renaître.

La faim ? Les deux tiers de l'humanité, trois milliards d'êtres, vivant un état de famine endémique ne sont pas des abstractions pour ceux qui, comme moi, subirent, à chaque instant, à chaque pas, cette quête de la survie. Cette faim obsédante, ponctuée

16

d'hallucinations, qui éteint toute existence, je l'ai éprouvée, jour après jour, pendant des années.

Le terrorisme ? Je connais ses méthodes. Pour les SS, le plus petit geste d'un détenu, semblant aller contre l'ordre établi, apparaissait comme une rébellion intolérable contre le IIIe Reich et était sanctionné par la mort. Dans les camps, un terrorisme parallèle, tout aussi impitoyable, sévissait entre les prisonniers.

La surpopulation ? Dans la quotidienneté de la mort, j'ai vécu chaque jour et chaque nuit, dans la pire des promiscuités, entassé avec d'autres êtres humains exténués, parqués comme du bétail dans des baraquements où nous attendions de passer à l'abattoir.

Le chômage ? La politique d'extermination trouvait là un moyen de régler le problème. C'était une « retombée » logique, prévisible, efficace. Je me rappelle les tâches sinistres, dérisoires, auxquelles nous étions contraints de nous livrer : douze heures quotidiennes de marche forcée, au pas cadencé, pour tester les chaussures de l'armée, et tout faux mouvement provoquait un coup de bâton capable de fendre le crâne.

La pollution ? Sans le moindre soin, sans hygiène, notre seul contact avec le monde médical consistait à devenir l'un des cobayes pour les expériences pratiquées sur les déportés par le Dr Mengele, « l'ange de la mort », et les autres spécialistes nazis.

La crise de l'énergie ? Réalité économique, certes, mais essentiellement inquiétude du riche. Stress de l'automobiliste qui craint de ne plus pouvoir se perdre dans les embouteillages, angoisse de familles qui redoutent les morsures du froid avec deux degrés de moins dans leurs appartements surchauffés. Je me souviens pourtant que l'on peut vivre des mois et des années, sans lumière, sans aucun chauffage, ni la moindre couverture, pendant des hivers qui atteignent 30 degrés au-dessous de zéro.

La paix ? Je sais comment elle peut devenir de plus en plus « indésirable ». Comment une guerre peut faire enfin table rase de tous les problèmes insolubles, accumulés, insupportables. Comment elle peut faire disparaître, pour longtemps, les revendications, le surendettement, et même les inégalités. On se met à penser qu'à partir d'une guerre on fera du neuf ; qu'une nouvelle économie, les contraintes ordinaires balayées, offrira la possibilité aux plus entreprenants d'édifier de nouvelles carrières, et sûrement de nouvelles fortunes.

Le Tiers Monde ? Pour nos vieilles sociétés, fatiguées, égoïstes, de plus en plus incapables du moindre sacrifice de solidarité, le salut ne passerait-il pas par un autre holocauste à l'échelle planétaire ; par l'élimination radicale de ces individus innombrables, ressentis de plus en plus comme une masse sombre, déroutante, hostile ?

Si nous admettons que nous sommes liés par un

devoir envers la collectivité humaine, alors il faut nous préparer à de sérieux sacrifices, et pour nos enfants aussi. Ou bien les vrais criminels auront peut-être été nos héros, nos sauveurs — Roosevelt et Churchill. En brisant la politique de « suprématie raciale des aryens », en écrasant le IIIe Reich, n'auront-ils pas été, la question se posera à certains, à la source de nos maux actuels ?

La prospérité ? Après plusieurs siècles de domination économique, nous sommes aujourd'hui ramenés à une dure réalité. Nous avons cessé d'être les meilleurs, d'être les maîtres. Les peuples que nous avions longtemps considérés comme inférieurs, se mettent à nous battre à notre propre jeu. Japonais, Coréens, Taiwanais et bientôt Brésiliens, Chinois, Africains se révèlent, les uns après les autres, plus inventifs, plus efficaces, plus compétitifs que nous. La roue qui tourne lentement à travers les siècles, s'arrêtera-t-elle sur notre génération, pour faire de nous les nouveaux « sous-développés » ?

L'Europe ? Veut-elle vraiment exister ou seulement briller encore un peu comme les astres en fin de trajectoire, avant de disparaître ? Ses industries les plus dynamiques, les dernières forces vives de ses sociétés, émigrent, presque sans exception et ne laissent sur place que des chômeurs et des usines abandonnées. Elles s'implantent dans l'Est communiste, où elles trouvent la stabilité sociale : pas de grèves. Au Proche-Orient, dans les pays qui ont les capitaux et sont devenus investisseurs. Dans le Tiers Monde qui détient, dans son sol, les matières premières que nous n'avons pas. Au Sud-Est asiatique où elles emploient une main-d'œuvre innombrable, industrieuse, dix fois moins chère. Aux Etats-Unis où elles trouvent un marché intérieur à la mesure de leurs ambitions.

Devant cette hémorragie, qui s'aggrave sous nos yeux, que va-t-il nous rester comme activité rentable ? Sinon une exportation accrue dans deux secteurs : les armes les plus raffinées et meurtrières et les centrales nucléaires, le plutonium restant à la disposition de chaque client.

Peut-on convaincre la jeunesse que son idéal, que sa vie, doivent reposer sur ces échanges-là ? Croit-on que ces jeunes, nos enfants, vont accepter de devenir les fondés de pouvoir de la mort ?

Si ce continent n'est plus le centre du monde, il en demeure l'épicentre dont l'affaissement entraînerait de proche en proche, de crise en crise, des désastres en chaîne jusqu'aux limites de l'univers.

Les droits de l'homme ? J'ai vu la réalité des exécutions massives, sommaires. Des mises à mort discrètes, rapides, sans la solennité formelle des tribunaux, sans jurés, sans recours. J'ai vécu les sélections qui triaient les familles ; les femmes et les vieillards envoyés à la mort immédiate ; les hommes condamnés à une mort différée ; les enfants privés du droit même d'exister. Des innocents par millions !

20

La course aux armements? Tout est prêt pour l'apocalypse. Nous mettons, de plus en plus vite, l'arme nucléaire à portée des bourses de tous les États. Le moindre conflit peut dégénérer en quelques heures, entraîner la mort de millions d'hommes. La guerre chimique, au-delà même de la guerre nucléaire, fait l'objet de recherches constantes, hautement scientifiques, et moins onéreuses encore que l'atome. Les nazis effectuaient déjà des travaux intensifs pour découvrir le meilleur gaz mortel, celui dont le prix de revient par supplicié serait le moins élevé. On a repris leur travail, et l'on ne s'en cache pas. On appelle simplement tout cet engrenage vers la folie « dissuasion »...

Les victimes entassées dans les chambres à gaz de Treblinka, de Maidanek ou d'Auschwitz, à qui il restait trois minutes de vie quand les portes se fermaient, trouvaient le temps et la force de graver sur les murs de ces lieux, avec leurs ongles : « N'oubliez jamais ! »

Trente-cinq ans après, avons-nous tout oublié de leur message ?

*
* *

Toutes ces crises en chaîne constituent un scénario de l'absurde qui, sauf sursaut de la volonté humaine, menace de faire voler en éclats ce qui subsiste de liberté et de paix.

Prisonnier des préjugés raciaux, nationaux,

21

emporté par le fanatisme religieux, mutilé par les dogmes idéologiques, l'homme paraît, aujourd'hui, biologiquement incapable de relever ces défis. Partout l'homme affronte l'homme.

Une société n'a pas à être folle pour que ses chefs s'engagent dans des politiques démentes. La nation qui donna au monde Gutenberg, Beethoven, Goethe, n'avait pas basculé dans le délire, mais était seulement consentante, quand elle abandonna, par des élections démocratiques, son destin aux mains de Hitler. Une séquence d'événements inattendus, inquiétants, mal compris, ouvrit, tout naturellement, la porte du pouvoir aux hommes qui avaient le dessein, simple et clair, de dominer le monde — ou de l'anéantir.

Pourquoi les classes dirigeantes de nos démocraties ne déposeraient-elles pas bientôt, encore une fois, le pouvoir au pied des totalitaires, dans une soif inépuisable, irraisonnée de « loi et d'ordre », selon les normes mêmes que le maire de Moscou, cette ville étrangement « paisible », m'expliqua avec détails et fierté lors d'un dîner chez lui.

Ainsi en contemplant, en examinant les chaos, les incohérences, la peur qui se répand, je retrouve les réflexes, l'intuition qui sont ceux de la lutte éternelle pour la survie. J'ai de plus en plus le sentiment que, durant cette période de ma vie qui remonte à quarante ans, j'ai déjà vécu une fois ce qui s'annonce. Aujourd'hui je ressens l'approche angoissante des pas du monstre sur l'univers tout entier.

Je n'ai jamais eu le moindre désir de procéder à ce retour sur moi. Aussi sera-t-il bref, pour faire comprendre, vivre, dans quel terreau, dans quel sang, s'est forgé mon espoir ; avant d'en arriver aux drames nouveaux d'aujourd'hui, apparemment irrésistibles, qui nous menacent tous.

Une jeunesse, intrépide, généreuse, veut savoir. Elle veut apprendre quels sont les risques, les macabres hypocrisies de l'Histoire ; elle veut s'armer pour tenter de vaincre la fatalité. Ce livre, je le lui dois, car il ne traite pas du passé, mais de l'avenir, de son avenir.

Première partie

La chute d'un monde

2

Nous n'avions que neuf ans, mais déjà, nous ressentions la signification des événements avec une précocité qui ne pouvait s'expliquer que par les temps que nous vivions et par la situation particulière de notre ville natale.

Bialystok, juste avant la guerre, restait le centre animé de la vie culturelle qu'il était depuis trois siècles. Cette métropole du textile, la deuxième de Pologne, voyait se côtoyer des mouvements politi-

25

ques liés au socialisme, au sionisme. Les membres des partis ouvriers révolutionnaires se mêlaient à ceux qui enseignaient la Torah. Juifs, Polonais, Lituaniens et Russes y cohabitaient. Nous ressentions, tous ensemble, avec plus d'intensité que le reste du monde, la présence de la croix gammée déployée si près.

Nous reprenions, en classe, les discussions entendues dans nos foyers. Nous évoquions la lutte interminable entre Chinois et Japonais, le courage du Négus qui tentait de résister à Mussolini ou l'enthousiasme des héros de Bialystok partis en Espagne lutter contre le fascisme.

Au cinéma, nous regardions les actualités qui montraient, à Nuremberg, des hommes, par légions entières, apparemment adultes, hurlant bras tendus : *Sieg Heil! Sieg Heil! Sieg Heil!*

Ma mère voulait que nous quittions la Pologne pendant qu'il en était encore temps. Nous pouvions partir pour l'Australie où ses frères venaient de s'installer, ou bien aller aux États-Unis. De nombreux parents, qui avaient appartenu aux premières vagues d'immigrants, étaient tout prêts à nous accueillir. Elle s'était mise à apprendre l'anglais et, le soir, au moment de me coucher, elle me racontait les aventures d'Huckleberry Finn et la Case de l'Oncle Tom.

Ma mère était une femme belle, grande, dont la vivacité instinctive contrastait avec le calme de mon

26

père. Elle évoquait souvent la vie qui nous attendait et une phrase revenait sur ses lèvres : *God bless America.*

Mon père, lui, n'admettait pas l'idée de quitter cette ville, foyer de sa famille depuis des générations.

Les souvenirs que j'ai pu garder de lui révélaient un mélange de spontanéité et de prudence avisée. Je me rappelle qu'il m'amusait par des excentricités sur une bicyclette, marchant en arrière sur une seule roue. Il était aussi passé maître dans le maniement des cartes et, fasciné, je lui avais demandé, à plusieurs reprises, de m'enseigner quelques tours.

« Non, pas encore : je ne connais pas assez ton caractère. Tu pourrais être tenté, un jour, de jouer pour de l'argent. Je t'apprendrai quand je cernerai mieux ta personnalité. »

Mes parents symbolisaient les deux tempéraments opposés qui avaient modelé l'histoire de Bialystok, tandis que les armées de la Prusse, de la Russie tsariste et de la France napoléonienne sillonnaient le territoire d'une Pologne démembrée. A chaque période de violence et de persécution resurgissait l'instinct de partir ailleurs, pour mener une vie plus libre, en sécurité.

Ainsi, à New York, Paris, Buenos Aires, à Jérusalem et dans de nombreuses autres villes, aujour-

27

d'hui, vous trouvez des communautés qui retracent avec fierté leurs origines et évoquent ces hommes qui émigrèrent de Bialystok, génération après génération. Le fondateur de l'espéranto, le Dr Ludwig Zamenhoff est originaire de Bialystok ; de même Maxim Litvinoff, ministre des Affaires étrangères soviétiques ; le Dr Alfred Sabin, inventeur du vaccin antipolio par voie orale ou encore le général Ygal Yadin, vice-premier ministre israélien. La liste est longue, et la fraternité universelle.

Le second instinct de cette ville, et je constatai qu'il était à l'origine du refus de mon père d'émigrer, se manifestait par une volonté de résister à l'adversité en attendant que reviennent des jours meilleurs.

David Pisar hésitait. Fallait-il donc sacrifier maintenant tout ce qui avait été acquis ? Hitler oserait-il vraiment envahir la Pologne, au risque d'une guerre avec l'Angleterre et la France ? N'était-il pas préférable d'attendre ?...

***

Ces discussions incessantes me revinrent à l'esprit, d'un seul coup, lorsque, dans mon bureau de Paris, je reçus récemment la visite d'un homme distingué. Il était européen et me parla de son inquiétude à propos de la tournure que prenaient, selon lui, les événements sur ce continent.

« Nos démocraties, me dit-il, sont menacées de l'intérieur et de l'extérieur. J'ai le devoir envers ma

28

famille de prendre certaines précautions. J'ai déjà une assurance sur ma vie, sur ma maison, sur ma voiture. La seule chose que je ne peux pas assurer, c'est ma liberté, ma tranquillité. Pourriez-vous m'aider à obtenir un visa permanent qui nous permettrait d'entrer aux États-Unis à tout moment ? Quand le drame éclatera ici, je voudrais, au moins, être sûr que nous pourrons prendre le dernier avion ou le dernier bateau. »

Je savais, en l'écoutant, que des Français, des Allemands, des Italiens et beaucoup d'autres Européens fortunés étaient ainsi installés des deux côtés de l'Atlantique, abdiquant toute responsabilité quant à l'avenir de leur pays, repliés sur leur famille, leurs enfants, et leurs intérêts.

« Monsieur, lui dis-je, vous exagérez sans doute les dangers d'une mainmise totalitaire sur l'Europe. Il n'y a pas de fatalité de l'Histoire. Je sais que les périls existent. Mais fuir n'est pas une solution. »

J'étais stupéfait. J'avais répondu par un sermon à cet homme venu simplement me demander un conseil.

Mais après cette entrevue, je ne pouvais me défaire d'un malaise profond. Ainsi, à quarante années d'intervalle, ses enfants devaient être les témoins des mêmes conversations inquiètes que dans mon foyer natal.

De quel droit, même si je trouvais sa requête

29

marquée par la panique, pouvais-je lui dire qu'une répétition était inconcevable ; moi, dont toute la famille avait manqué ce dernier avion, ce dernier bateau ?

Mieux que les analyses les plus élaborées, cet incident anodin, et si souvent répété depuis, m'avait fait comprendre la force et la réalité du désarroi qui gagne les esprits, en Europe. Je revenais de Mexico, où, devant un auditoire de 400 présidents de banques du monde entier, j'avais dialogué plusieurs heures d'affilée avec Henry Kissinger. Malgré nos conceptions communes sur la détente et la nécessité de stabiliser les relations internationales, j'avais été frappé par l'extraordinaire pessimisme de ses propos.

Au cours de cet échange, et des problèmes innombrables qui nous assaillaient, j'avais senti que l'analyse de la situation mondiale par l'ancien secrétaire d'État découlait non pas seulement de ce que nous avions appris, ensemble, à Harvard ou à Washington, mais de nos confrontations communes, quand nous étions à peine adolescents, avec la haine raciale, avec l'intolérance politique, puis la démence, en Europe.

Kissinger avait eu de la chance ; il avait pu, avec sa famille, prendre le dernier bateau au moment où j'étais happé par le monde des ténèbres.

Ainsi, son père avait eu raison, et le mien avait eu tort. Alors, aujourd'hui ?

*
* *

Occupation de la Ruhr, Anschluss de l'Autriche, capitulation de Munich, entrée des nazis en Tchécoslovaquie — les séquences allèrent en s'accélérant, et provoquaient un mélange d'inquiétude et d'incompréhension dans mon esprit d'enfant.

Après la victoire éclair des nazis contre la Pologne, ce fut l'installation de l'Armée rouge dans notre ville. J'avais dix ans.

Selon la division du pays, conclue entre Hitler et Staline, Bialystok était placée en zone soviétique — situation qui dura un an et dix mois. Jusqu'au 22 juin 1941, très exactement. Ce jour-là, l'Armée rouge fut balayée par les forces du Reich. Les troupes de choc nazies qui pénétrèrent dans notre ville ne perdirent pas un instant pour mettre à exécution la politique raciale du Führer.

Dès le premier Sabbath, les foyers juifs furent systématiquement fouillés, maison par maison. Puis, plusieurs centaines d'hommes furent alignés dans un champ, et abattus à la mitrailleuse. Ce n'était que le début.

Après avoir ainsi annoncé son règne de terreur absolue, le commandement nazi promulgua son premier décret.

Tous les Juifs durent déménager pour s'installer dans un quartier misérable de la ville, dont les

31

habitants, non juifs, seraient relogés dans nos habitations ainsi disponibles. Dans les vingt-quatre heures.

Rassemblée dans le salon, silencieuse, toute ma famille était là. Je regardais mon père, ma mère, ma sœur Frida âgée de huit ans, ma grand-mère maternelle qui avait espéré rejoindre en Australie ses fils Nachman et Lazare, et dont les autorisations de voyage venaient juste d'arriver ; hélas trop tard.

Nous étions en été, et il faisait très chaud. Mais mon père alluma un énorme feu dans la cheminée et commença à y jeter nos objets les plus précieux : photographies, lettres, documents familiaux. Toutes choses que nous ne pouvions emporter et que nous ne voulions à aucun prix voir tomber entre des mains étrangères.

Debout, en demi-cercle autour du feu, nous regardions ces souvenirs tomber dans les flammes.

Mon père était vêtu d'un costume kaki, de bottes de cheval et d'un large ceinturon de cuir à la taille. Sa ressemblance avec Gary Cooper, à propos de laquelle ma mère le taquinait toujours, était plus frappante que jamais. L'étoile jaune que nous devions maintenant porter, épinglée sur sa poitrine, le faisait ressembler encore davantage dans mon imagination à un shérif du Far West.

« Nous vivons, dit-il, nos derniers instants dans cette maison. Nous ignorons quand nous y reviendrons et qui s'installera ici après notre départ. Chacun n'a le droit d'emporter qu'une seule valise ; le strict minimum, juste ce qui nous aidera à nous maintenir en vie. Tout le reste doit être abandonné.

— Mais père, et ma bicyclette, et ma collection de timbres ?

— Les bicyclettes ne sont pas autorisées. Prends ta collection de timbres, nous pourrons peut-être l'échanger avec un Allemand contre de la nourriture. C'est tout ! »

Il continua de lancer, l'un après l'autre, les objets dans le feu.

Il s'arrêta sur un petit bouquet de fleurs blanches artificielles que ma mère avait tenu dans ses mains, le jour de leur mariage, à ses côtés, sous le dais. Il parla.

« Ce bouquet — sa voix se brisa imperceptiblement — en le brûlant dans ce feu, alors que nous sommes tous réunis, nous le rendons éternel. Quand Frida se mariera — il caressa les cheveux de ma petite sœur en lui lançant un sourire rassurant — nous lui donnerons son propre bouquet. »

Les fleurs disparurent dans les flammes. Ma mère restait impassible, sans expression. Seule ma grand-mère laissa échapper un sanglot.

33

Mon père plaça son long bras autour des épaules de ma mère. « Hélaina ! »

La solennité avec laquelle il prononça son prénom complet, alors que je l'avais toujours entendu l'appeler « Hela », m'effraya soudain.

« Il est temps de partir ! »

Nous avons ramassé nos valises et nous sommes sortis de la maison. Nous avons traversé lentement la grande cour avec son puits au milieu, où les paysans qui apportaient les produits de la ferme s'arrêtaient pour abreuver leurs chevaux ; puis le jardin fruitier, si abondant en framboises, en cerises, en pommes.

Silencieux, instinctivement serrés les uns contre les autres, comme pour nous protéger, nous remontions la rue Botanique. Venant de tous les quartiers de la ville, la tête baissée, la démarche accablée, des groupes dépossédés comme nous, chaque homme, femme et enfant portant une valise ou un sac, convergeaient en un flot grossissant.

Ce long cortège avançait lentement vers le mur surmonté de barbelés, érigé par les Allemands, et qui entourait le ghetto. Tous marchaient en essayant de ne pas regarder les batteries de mitrailleuses installées de chaque côté des portes d'entrée.

On nous attribua une petite pièce dans une maison de bois. La fenêtre donnait sur un minuscule lopin de terre où mes parents plantèrent quelques carottes, des radis et des choux.

Au début, malgré la dureté des conditions de vie, mon existence restait encore supportable. Je pouvais lire des livres, jouer au ballon avec des camarades, disputer une partie d'échecs. Et puis, il y avait Ben, mon meilleur ami. Nous nous étions rencontrés, Ben et moi, un an plus tôt en jouant au football dans les équipes de nos écoles respectives.

A cette époque, le sport était le lien qui m'unissait à ce garçon assez réservé, aux yeux bleus et aux cheveux blonds, plus âgé d'un an. Son père était mort alors qu'il était très jeune, et il me vouait une amitié que je lui rendais. Coriace, doté d'un rude caractère, il se précipitait sur quiconque m'importunait.

Je regardais comme un fait étrange, et poignant, les tentatives faites par mes parents pour préserver un semblant d'existence normale. Ainsi, il n'y avait pas d'école dans le ghetto ; mais un jeune homme émacié, qui poursuivait ses études de rabbin, fut chargé, en échange d'un bol de soupe quotidien, de me préparer à la confirmation et de m'enseigner des rudiments de français. Ben participait avec moi à ces cours. Nous étions des élèves récalcitrants et le pauvre rabbin avait beaucoup de mal à nous fournir des preuves convaincantes que le monde continuait de tourner sous le regard bienveillant d'un Dieu juste.

Chaque dimanche, nous recevions une étrange visite. Un vieillard restait silencieux à nous regarder des heures, tenu à distance par le mur de barbelés. Il s'agissait d'Anton, notre concierge, qui était pour moi comme un grand-père. Avec notre départ dans le ghetto, tout son monde à lui aussi s'était effondré. Et là, silhouette émouvante, il restait immobile à pleurer, à se signer en hochant la tête.

Ma confirmation aurait pu être seulement une cérémonie émouvante. Elle devint un épisode marquant de ma vie.

La petite synagogue de fortune était située près des barbelés qui retranchaient le ghetto du monde extérieur. Devant nos yeux, les sentinelles allemandes, le doigt sur la détente.

Je n'avais pas un grand sentiment religieux. Mais la simple lecture de la Bible, dans notre prison, m'avait fait ressentir une réalité éternelle.

Le jeune rabbin au visage ascétique m'avait parlé de ces Juifs soumis aux persécutions successives de Babylone, de l'Égypte, de l'Empire romain, de l'Espagne catholique, de la Russie tsariste, et maintenant du Reich hitlérien ; de ces familles qui n'avaient cessé, à travers les siècles, de fêter la confirmation de leurs fils dans la clandestinité, et l'incertitude de tout avenir.

Je pressentais à quel point cette adversité, ces persécutions, avaient forgé l'identité d'un peuple.

36

Au moment du petit discours rituel que je devais prononcer, des mots vinrent tout naturellement à l'esprit de l'enfant que j'étais. Face à l'assistance, je pointais le doigt vers l'enceinte qui nous encerclait : « Nous prions, toujours, tournés en direction de Jérusalem. Mais aujourd'hui, le mur des lamentations est ici ! »

Mes camarades d'école s'approchèrent pour m'embrasser. Ils avaient même réussi à m'apporter quelques pauvres, et ingénieux, cadeaux. Nous avions plaisanté.

Je ne savais pas que je les voyais pour la dernière fois. Il ne leur restait plus que quelques semaines à vivre.

Quotidiennement, des familles entières étaient emmenées par des patrouilles SS. Chacun savait le sort qui l'attendait et ne vivait plus désormais que dans l'angoisse de la prochaine rafle.

Des chantages odieux commençaient à être exercés par les nazis. Ils consistaient à prendre des otages, toujours des otages, que l'on promettait de rendre en échange du versement de rançons. Des femmes et des enfants éplorés quêtaient, alors, de porte en porte, la voix brisée par les sanglots : « Ils réclament cinq kilos d'or et de bijoux. Sinon deux cents otages, dont mon mari et mon fils, vont être exécutés. » C'était sans fin...

La dégradation commençait à ravager le ghetto. Le froid, l'absence de nourriture, le désespoir minaient, détruisaient l'esprit communautaire qui avait survécu, au début, entre ces êtres plongés dans les mêmes épreuves. C'était le début du naufrage : chacun pour soi, pour tenter de survivre encore un peu.

Une nuit, nos légumes furent volés. Nous étions sur le point de les récolter. Un jour, la clôture de notre petit jardin disparut, arrachée sans doute pour faire, quelque part, un feu de bois.

*
* *

Mon père travaillait à l'extérieur, chargé de l'entretien des automobiles du gouverneur allemand de la ville. C'était une bonne occupation ; chaque soir, il réussissait à rapporter des morceaux de nourriture pour notre maigre ordinaire.

Un matin, comme à son habitude, il nous embrassa pour nous dire au revoir. Ce fut la dernière fois. Nous ne le revîmes plus jamais.

L'histoire de sa fin a pu être reconstituée, plus tard, à travers des témoignages. Profitant de son activité, mon père emmenait hors du ghetto, cachés dans une camionnette, des enfants juifs. A la demande de leurs parents, il les conduisait dans des villages aux alentours et les confiait à des familles paysannes pour qu'ils aient une meilleure chance de survie.

En apprenant ces déchirements familiaux, je demandai un jour à ma mère, après une longue hésitation :

— J'espère que vous ne vouliez pas m'abandonner, moi.

— Non, me répondit-elle avec un regard triste, mais nous y avions souvent songé pour ta sœur.

Arrêté et torturé par la Gestapo, mon père fut aussitôt exécuté, avec d'autres prisonniers, dans une forêt près de la ville.

Restée sans nouvelles, ma mère gardait encore l'espoir qu'il était vivant.

Déjà, lors de la défaite de la Pologne, en 1939, elle avait longtemps attendu son retour. A cette occasion, j'avais joué un rôle ; un soir, un domestique vint me chercher en me recommandant de ne rien dire. Nous avions traversé la rue jusqu'à un petit parc, et là, j'avais retrouvé mon père, maigre, épuisé, vêtu d'un uniforme sale et déchiré.

« Écoute-moi. Tu vas aller dire à ta mère que quelqu'un veut lui parler : quelqu'un qui appartient à la même unité que ton père. »

Il m'expliqua qu'il voulait lui éviter toute émotion violente et la préparer progressivement. Je lui obéis. Je me rappelle chaque détail de cet épisode.

Docile, elle marchait juste derrière moi, légèrement crispée. Nous étions arrivés devant la petite porte entrebâillée qui ouvrait sur le parc. Elle avait scruté l'obscurité, puis m'avait lancé un regard interrogateur. Soudain une haute silhouette sortit de l'ombre. Elle courut à sa rencontre, rayonnante, les bras tendus.

« Mon Dieu, David ! Tu es vivant. »

Maintenant qu'elle était de nouveau plongée dans l'attente, je multipliais les mensonges pour qu'elle ne perde pas courage.

Je lui racontais qu'un homme avait pu pénétrer dans l'enceinte de la prison et qu'il avait entendu dire que papa vivait toujours ; que quelqu'un, entré dans la forteresse nazie pour y effectuer une livraison, avait aperçu mon père, etc. Ben m'aidait dans ces inventions.

Elle n'était guère dupe de nos imaginations enfantines, mais faisait semblant d'y croire.

Cependant, son désir de vivre, de lutter, semblait, pour la première fois, avoir disparu avec la mort de cet homme qu'elle aimait plus que tout au monde.

Un jour, au cours d'une de leurs rafles, les Allemands emmenèrent ma grand-mère et mon oncle Memel. Ce dernier, un athlète de vingt-cinq ans, aurait pu facilement s'échapper, mais il ne voulut pas abandonner sa mère âgée.

Peu après, Ben disparut lui aussi.

Dans la petite chambre, nous n'étions plus que trois : ma mère, ma sœur et moi. Nous nous sentions condamnés.

Les nazis, finalement, rasèrent le ghetto et déportèrent tous ses habitants. Quelques hommes, quelques adolescents, totalement désarmés, tentèrent d'opposer une résistance. Révolte héroïque et dérisoire, réprimée de façon atroce. Tous furent tués. Un des combattants, Malmed, fut sauvagement torturé et pendu devant mes yeux pour avoir jeté une bouteille d'acide sulfurique au visage d'un officier SS, l'aveuglant à jamais.

Nous avions fui dans la nuit, à travers des rues en flammes, jonchées de cadavres. Puis nous avions abouti à une cave où plus de trente personnes se terraient depuis des jours, sans nourriture et sans eau.

A la lueur d'une chandelle, je reconnus, parmi ces visages hagards, mon professeur d'histoire. Il s'appelait Bergman. Silhouette frêle, il était penché sur son petit garçon qui ne cessait de tousser.

A quelques mètres au-dessus de nos têtes, les cris des SS à la recherche des survivants et les aboiements de leurs chiens se rapprochaient.

Chacun de nous, du fond du trou, distinguait leur progression au bruit des bottes, au son des ordres brefs.

Le bébé de Bergman, son petit corps secoué de spasmes, ne pouvait s'arrêter de tousser. « Silence », chuchota sèchement, un homme en colère placé près de la porte de la cave. Désemparé, Bergman tentait de bercer l'enfant pour interrompre ses quintes de toux — sans résultat.

L'homme traversa la pièce en enjambant les corps et plaqua brutalement sa main sur la bouche du bébé. La toux s'arrêta.

Les minutes s'égrenèrent. Lorsque les nazis parurent s'éloigner, la main se retira du visage de l'enfant, qui s'effondra, étouffé.

Bergman contempla la scène, pétrifié. Il avait dû accepter de sacrifier une vie, celle de son fils, pour que soient sauvées les autres.

Le jour suivant, nous pûmes trouver refuge dans un hôpital dont le directeur, Knazieff, avait été le meilleur ami de mon oncle Nachman. Les blessés ne cessaient d'affluer.

Là, nous avons vécu notre dernière nuit ensemble. Celle où ma mère me sauva la vie.

Précise, méthodique, elle pliait mes vêtements avec la même sûreté apparente de gestes que si elle préparait mon départ en colonie de vacances.

Elle s'interrompit et me regarda :

42

« Toi, je me demande si je vais te mettre un pantalon long ou un pantalon court. »

Elle réfléchit un instant, son regard se posa sur ma sœur, puis, de nouveau, sur moi, pour choisir.

« Si je t'habille avec un pantalon court, tu resteras certainement avec les femmes et les enfants. Nous partirons ensemble. Habillé d'un pantalon long, tu iras avec « les hommes ». Tu es un grand garçon maintenant, tu sais ; tu pourrais travailler, tu pourrais mieux... »

Sa phrase s'interrompit ; je lui lançai angoissé en enfilant le pantalon long qu'elle me tendait :

« Et toi, et Frida ? »

Elle ne répondit pas.

Une seule pensée m'habitait : que vont-elles devenir ? Et moi, que puis-je devenir sans elles ? Interrogation lancinante à laquelle, désemparé, je ne pouvais apporter le moindre début de réponse.

Ma sœur avait fini par s'endormir contre ma mère, paisiblement.

Le climat dans lequel nous vivions depuis plusieurs mois était celui d'une violence absolue. On avait beaucoup parlé autour de moi de la mort et je savais parfaitement ce qu'elle signifiait ; mais enfin, pour ma petite sœur, pour ma mère encore jeune, à trente-huit ans, et pour moi, je songeais qu'il n'était pas concevable d'être tués sans même avoir vécu.

Nous tentions, au milieu des fusillades, du désespoir des blessés, de préserver nos derniers moments d'intimité. Précieux, fragiles, ils étaient ponctués de gestes de tendresse, de sourires d'affection.

A l'aube, les SS forcèrent les portes. Pénétrant dans la salle, ils nous chassèrent dans la rue à coups de crosse, comme un troupeau.

Une silhouette sombre, l'emblème de la tête de mort sur son casque, se planta soudain devant nous.

« Je veux cela !

— Quoi, monsieur ? dit ma mère.

— Cette bague, là, à votre doigt. »

C'était son anneau de fiançailles. Un petit diamant entouré de minuscules rubis disposés en forme de cœur. Elle essaya aussitôt de l'enlever.

Mais ses doigts étaient gonflés par la fatigue. Le SS sortit sa baïonnette :

« Vite, ou le doigt vient avec ! »

Dans ma terreur, je me souvins d'un morceau de savon qu'elle avait placé au fond de ma valise.

44

En quelques secondes, je l'avais sorti. Je crachai sur le doigt de ma mère tout en le savonnant. L'anneau glissa. Je le tendis au nazi.

« Voilà, monsieur. »

A cet instant, j'étais devenu un autre. C'était ma première décision de lutter pour la vie...

Quelques heures après, nous étions séparés pour toujours.

Les femmes et les enfants furent regroupés, comme ma mère l'avait prévu, au sein d'une colonne. Grâce à mon pantalon long, je fus placé dans l'autre colonne, celle des hommes — des travailleurs.

Nous commençâmes à marcher. Désespéré, je ne pouvais détacher mon regard de leurs silhouettes qui s'éloignaient. Ma sœur tenait ma mère par la main avec confiance, tout en serrant contre elle sa poupée favorite. Elles me regardaient, longuement elles aussi, par-dessus l'épaule.

Elles s'effacèrent de ma vue. Leur colonne disparut au loin.

En me rejetant loin d'elle, ma mère avait arraché au destin une chance, même sur un million, pour que je survive.

Tandis que je marchais, irrémédiablement seul, le

cœur déchiré, tentant d'étouffer mes larmes, je fus pris de fureur contre l'homme et contre Dieu. Privé de tout soutien, de tout réconfort, je levais mon poing vers le ciel dans un cri blasphématoire contre le Tout-Puissant.

« Monstre, comment oses-tu ?... »

* *
*

Je revins à Bialystok, vingt ans plus tard. Conseiller du Comité économique du Congrès des États-Unis, j'accompagnai, dans un voyage qui nous conduisit à Moscou, Prague et Varsovie, un groupe de parlementaires, qui exploraient les relations économiques Est-Ouest.

Arrivé dans la capitale polonaise, je décidai, cédant à une impulsion, d'aller revoir ma ville natale.

Sans fournir de précision, je dis à l'ambassadeur américain où je comptais me rendre. Il me proposa une voiture avec un chauffeur. J'arrivai, par un temps gris, dans cette cité qui n'était plus qu'un vague fantôme de son passé.

Retrouver la tombe de mon père : à qui demander ?

Sur les soixante mille juifs qui composaient autrefois la population de Bialystok, il y en avait peut-être une poignée qui vivaient encore. Quant aux autres habitants, ils n'avaient aucune raison de se souvenir.

Au cours de mes recherches, alors que la nuit tombait, j'arrivai dans une communauté de sourds-muets. Un peu à l'écart de la ville. Dans un étrange dialogue, par signes, ils m'indiquèrent une direction, et je tombai sur un monument discret recouvert d'une épaisse couche de neige : une simple croix sur laquelle il était dit que des groupes d'hommes, prisonniers de la Gestapo, avaient été exécutés là, à cet endroit. Mon père devait probablement être enterré sous cette croix.

Dans la ville, subsistaient quelques vestiges du passé. Ainsi l'église, dont le clocher, dans ma mémoire d'enfant, se dressait très haut dans le ciel. Comme il me paraissait modeste.

J'indiquai au chauffeur le chemin de ma maison.

Des enfants coururent derrière la longue limousine noire quand nous entrâmes dans la cour. L'habitation me sembla encore grande, même avec mes yeux d'adulte. Le verger avait disparu mais il y avait encore le hangar où mon père garait sa voiture. Je retrouvai aussi l'allée où il m'avait appris à faire de la bicyclette. La maison était délabrée, mais une mince volute de fumée sortait de la cheminée.

« — Qui vit ici ? » demandai-je à la petite foule qui m'entourait.

Les noms qu'ils me donnaient ne m'évoquaient rien.

47

« — Qu'est-il arrivé aux anciens occupants ? »

Un homme âgé s'avança.

« Tous tués par les nazis.

— Tous ?

— Tous, sauf un, répondit le vieillard. Apparemment, un petit garçon aurait survécu. On a lu quelque chose à son sujet dans le journal. Il travaille à Washington, paraît-il. »

Je me détournai soudain, cherchant à dissimuler mon émotion derrière un masque d'indifférence... Le moindre abandon à la douleur du passé, que j'avais si méthodiquement refoulé, année après année, ne pouvait que me paralyser. Non !

Je remontai dans la voiture et demandai au chauffeur de rentrer rapidement à Varsovie. Et je fermai les yeux pour chasser le cauchemar. Pour dormir.

3

Nous étions plusieurs milliers, alignés par groupes, dans un champ immense, face à un long convoi de wagons à bestiaux aux portes ouvertes.

Après une longue attente, on donna l'ordre à chaque groupe d'hommes de traverser le champ en courant vers le wagon qui lui était indiqué. Pour parvenir jusqu'aux portes, il fallait d'abord passer entre une rangée de SS, armés de cannes, et qui frappaient chaque prisonnier.

Certains de mes compagnons, terriblement éprouvés se mettaient à tituber puis s'écroulaient sous les coups. Ils tentaient quelquefois un ultime effort pour se relever, puis s'effondraient, le crâne fracassé.

Je m'élançai à mon tour.

Je sentis les cannes s'abattre sur mon dos, ma tête. J'avançais courbé, trébuchant de douleur. Le sang inondait mon visage. Je ne voyais plus rien. Je devais pourtant, à tout prix, continuer de courir.

J'arrivai, enfin, à la plate-forme du train, comme à un refuge.

Lorsque le wagon fut totalement bourré, les lourdes portes coulissantes se fermèrent, nous plongeant dans l'obscurité.

Après quelques heures d'attente, le train commença à s'ébranler.

Dans cet espace, où nous étions surentassés, l'air fit très vite cruellement défaut. C'est seulement en trouvant une petite fente entre les planches, et en y collant mon nez, que j'arrivais à respirer plus facilement.

La nervosité, l'angoisse, étreignaient les individus. Certains, affaiblis, s'affaissaient déjà.

En me voyant, plus jeune que tous les autres, des hommes me firent grimper sur leurs épaules jusqu'à l'une des deux petites lucarnes disposées à chaque bout du wagon. Je pouvais passer la tête à l'extérieur, et j'étais chargé de signaler les lieux qui, au passage du train, pourraient se révéler favorables pour essayer de sauter.

De temps en temps, à mon signal, on me descendait. Un homme se faufilait alors à travers la lucarne et s'élançait au-dehors.

Nous entendions presque aussitôt le fracas des rafales prolongées, tirées par les mitrailleuses postées sur le toit du train.

Certains, fort rares, réussissaient à s'échapper. La plupart, fauchés par les balles, s'écroulaient immédiatement sur le bord de la voie ferrée.

Devant cette hécatombe, les tentatives d'évasion cessèrent très vite.

Au cours d'un premier arrêt, les wagons qui composaient l'arrière du train et qui contenaient les femmes et les enfants, et donc ma mère et ma sœur, furent détachés. Ils s'éloignèrent dans la brume matinale, à travers un paysage paisible et verdoyant, sur lequel était installé un immense nœud ferroviaire et un simple panneau : Treblinka.

Ces longs convois qui circulaient lentement, comme le nôtre, à travers l'Europe, en direction des camps d'extermination, combien, parmi ceux qui les virent passer, ont-ils imaginé la cargaison qu'ils transportaient ?

Ces trains de déportation, n'ayant aucune des priorités accordées aux convois militaires, restaient immobilisés des heures, quelquefois des jours, sur des voies de garage.

Exposés ainsi, toujours verrouillés au soleil le plus intense ou au froid le plus rigoureux, non, il n'était pas imaginable qu'ils transportent des matières périssables !

La vie, la vie normale, se poursuivait à quelques mètres de ces wagons, tandis que, derrière ces portes désespérément closes, des milliers d'êtres humains entassés, s'éteignaient dans un désespoir absolu.

Des hommes, des femmes, des enfants, séparés de leur famille, vécurent là leurs derniers instants, en ne conservant comme seul souvenir du monde extérieur que le bruit sourd des pas d'une sentinelle qui arpentait le ballast, attendant l'heure de la relève, ou le départ, incertain, du convoi.

Qui aurait pu concevoir que ce bétail humain, ces pauvres loques impuissantes, préparaient la plus éclatante des victoires posthumes ?

Ombres sans sépulture, ces victimes de ce qui allait devenir le plus grand Holocauste de l'Histoire, interpellent encore, et toujours, ceux qui n'ont cessé de faillir au métier d'homme : les démocrates par lâcheté, les totalitaires par folie !

L'État d'Israël, elles l'ont créé à ce moment-là. Ce sont elles qui l'ont peuplé, armé, imposé.

Rentrant un soir, de 1967, à mon domicile parisien, je vis à la télévision ce spectacle incroyable, impensable : la libération du Mur des lamentations à Jérusalem. Je distinguai les soldats hébreux, priant au pied de ce lieu sacré, symbole de tant de tristesse et d'espoir.

Soudain, moi, pourtant si maître de mes nerfs, je m'effondrai pour la première fois en sanglots.

Le souvenir de ce que j'avais vécu et la mémoire millénaire du peuple auquel j'appartenais venaient de se rejoindre dans une émotion incontrôlable. Oui, c'est ce jour-là que les trains de Treblinka, de Maidanek et d'Auschwitz étaient enfin arrivés à destination.

***

« Ces trains ! Ces cargaisons ! Ces destinations ! » Le Premier ministre, ému, tire sur son éternelle cigarette. Dans son humble maison de Tel-Aviv où je l'écoutais, Golda Meir semblait porter tout le poids de cette tragédie sur ses frêles épaules.

A notre première rencontre, quand la voiture officielle me déposa devant sa porte, un soir d'automne, elle m'avait ouvert elle-même.

« Quoi, sans manteau ? Tu vas attraper une pneumonie ! »

Mon Dieu, pensai-je, on dirait ma grand-mère, la personnification des milliers de grand-mères que ces trains déchargèrent devant les portes des chambres à gaz.

« Qu'est-ce que ce pauvre État d'Israël représente ? me dit-elle. Quel est le sens de notre entreprise, de nos sacrifices, si les Juifs de Russie ne peuvent venir ici vivre dans la liberté et la dignité. Tes idées sur la paix, la coexistence Est-Ouest ont fait leur chemin. Tu dois réfléchir encore plus, c'est vital, à tout ce qui pourrait aider notre peuple. »

Puis elle se reprit. « Excuse-moi, j'ai oublié un instant d'où tu viens. Je t'ai mélangé à toutes ces personnalités étrangères qui me font des analyses abstraites, mais qui refusent de se rappeler les drames sanglants, si lointains et si récents, qui n'ont cessé de jalonner notre histoire. Viens Samuel, ajoute-t-elle en yiddish, je vais te préparer une tasse de thé. »

En la voyant agir avec ce mélange de tendresse et d'autorité, je compris pourquoi elle exerçait une telle emprise sur tous ses fils. Ce roc de courage était résolu à lutter jusqu'au bout pour que ces trains ne roulent plus jamais.

*
* *

Nous étions restés soixante-douze heures enfermés dans notre wagon, sans nourriture et sans eau.

Entassés au point de ne pouvoir effectuer un geste, un mouvement, au fil des heures, les forces déclinent, le moral se dissout. Vous vivez dans un véritable cloaque, dans une odeur pestilentielle, privés d'aération. Diminués, dégradés, il ne vous reste qu'une question à l'esprit : combien d'heures de vie ?

Quand le train s'arrêta et que les portes s'ouvrirent, une bonne partie des occupants, une centaine, étaient morts.

Ils avaient péri, piétinés par leurs compagnons ou vaincus par la soif. Masse de cadavres bleuis, ils se répandirent comme une lave.

Il faisait nuit, et les survivants, hébétés, restaient aveuglés par la lumière des projecteurs. Un cordon de SS tenait à la main plusieurs chiens policiers.

Un ordre, bref, et les molosses s'élancèrent à l'intérieur du wagon. En un clin d'œil, quelques traînards furent totalement déchiquetés sous nos yeux horrifiés.

Sur le quai, c'était la panique, les coups, les cris. Étreignant ma petite valise contre ma poitrine, j'avais gagné la sortie, enjambant des corps, bousculé.

La tension, les bagarres se multipliaient entre ces hommes, épuisés par les jours et les nuits de transport, totalement déshydratés, et qui se savaient promis, à leur tour, à une mort prochaine.

Je me tenais à l'écart. J'avais compris, comme eux, où je me trouvais, et ce qui nous attendait. Mais cette excitation m'apparaissait sinistrement vaine. J'étais préoccupé par une seule chose : trouver un peu d'eau.

Je m'approchai d'un garde SS placé de l'autre côté des barbelés. Il pointa sa mitraillette sur moi.

Je sortis de ma valise un petit paquet que ma mère m'avait donné avant notre séparation. Il contenait la montre et la chevalière de mon père. Je les montrai au nazi. Il me regarda.

« Jette-les-moi !

— Oui, si vous m'apportez de l'eau !

— Jette-les-moi, ou je tire.

— Non, d'abord de l'eau ! »

J'avais formulé ma réponse avec un entêtement mesuré. Je savais qu'il pouvait me tuer, mais alors il n'aurait pas son butin puisque j'étais placé de l'autre côté de l'enceinte.

Il s'éloigna. Et revint, quelques minutes après, avec une bouteille pleine.

Je songeais que cette eau pouvait, un moment me sauver la vie, mais qu'il serait prudent de l'économiser. Je portai la bouteille à mes lèvres et je bus une longue gorgée, puis une seconde...

Une clameur. Des hommes fonçaient vers moi de tous côtés, en une masse compacte, vociférante.

J'abandonnai ma bouteille au premier arrivé et je sautai de côté. Ils se mirent à se battre et le récipient tomba, brisé au sol.

Alors, désespérés, comme hallucinés, ils s'accroupirent en léchant avidement ce qui restait : la terre humide.

*
* *

Deux spécialistes américains des problèmes de surpopulation, les frères William et Paul Paddock, élaborèrent récemment une thèse qui a recueilli un large écho.

Ils estimaient que les pays sous-développés devaient être triés en deux catégories : ceux qu'il fallait aider, et ceux qui devaient être abandonnés à leur sort. Les critères retenus pour justifier leur sélection étaient strictement utilitaires. Selon eux, les dons, forcément limités, de l'Occident ne devaient aller que vers les pays capables de favoriser nos propres objectifs stratégiques ou commerciaux.

Quelle tragédie, pour un pays démuni, de se mettre

docilement en rang pour être soumis à l'humiliation de la « sélection » ! Sera-t-il trouvé trop faible, impropre à servir les intérêts du pays donateur, condamné à la décomposition, à la mort ? Je connais trop bien cette angoisse. Entre mon premier camp, Maidanek, et mon arrivée à Auschwitz, j'ai été « trié », à quatre reprises. Quatre aiguillages vers la mort ou vers la vie.

La première fois, j'ignore tout. Quelques heures après notre sortie du train, nous avons reçu l'ordre de nous déshabiller et de laisser nos vêtements en tas. Nous pourrons les récupérer après avoir pris une douche.

La longue file d'hommes nus avance au rythme saccadé des ordres d'un officier SS, assis derrière une table. Il jette un coup d'œil rapide sur chaque homme qui passe devant lui et lance un de ces deux mots : « gauche », « droite ».

J'aperçois, à quelques mètres, la silhouette voûtée du Dr Kaplan, le médecin de ma famille, qui m'a mis au monde. Je remonte jusqu'à la hauteur de cet homme de soixante-cinq ans qui tient à la main une large ceinture.

L'Allemand, chargé du tri, désigne du doigt l'objet dans la main du docteur.

« Qu'est-ce que c'est ?

— J'ai une hernie, c'est la ceinture qui me sert de bandage. »

Le SS hoche la tête d'un air compréhensif et enchaîne d'une voix égale :

« Déposez-la ici et prenez la file de gauche. Vous la retrouverez en sortant. »

Puis, il me regarde, surpris.

« Quel âge as-tu ?

— Dix-huit ans. Je suis un peu petit, mais regardez comme je suis fort.

— A droite.

— Mais je ne peux pas aller à gauche avec le docteur ?

L'ordre est répété d'un ton sec.

— A droite ! »

Kaplan n'est jamais entré dans le camp.

Les vieillards, les malades, les souffreteux, les boutonneux même, tous ceux de la file de gauche, sont gazés dès leur arrivée.

Peu après, transféré à Auschwitz, j'ai été, de nouveau, trié par le tristement célèbre Dr Mengele lui-même, l'homme des expériences pseudo-médicales effectuées sur les prisonniers.

Vous avancez, le pas trébuchant, angoissé, sans pouvoir deviner le verdict, ni si le côté qui vous sera désigné « gauche ou droite » vous sauve ou vous condamne.

Pendant quelques secondes, vous êtes jaugé, évalué. Vous tentez de déceler dans le regard, dans les gestes de celui qui dispose ainsi de votre vie, un indice favorable, une chance. Mais ses yeux restent fixes, la voix égale, presque morne.

De temps à autre, il casse le rythme, s'interrompant pour tirer longuement sur sa cigarette, face au prisonnier qui attend, avant de rendre son verdict.

Si vous survivez à ces tris, vous appartenez à l'élite du monde concentrationnaire.

Un monde d'où sont retranchés les faibles, les femmes, les enfants, les chétifs... Un univers hallucinant, où l'on vit quelques jours, quelques semaines, quelques mois ; l'antichambre de la mort.

Comme tous ceux qui avaient passé victorieusement la première épreuve, je reçus, à Maidanek, des sabots de bois, grossièrement taillés, une veste et un pantalon de treillis en coton, ainsi qu'une timbale que je devais porter, accrochée à la ceinture.

On nous rasa la tête et nous fûmes entassés dans des baraquements avec une planche pour dormir.

Très vite, je découvris que les gestes, l'attitude, qui nous étaient imposés, avaient pour but notre destruction physique et morale.

Tout ce qu'il me restait d'énergie devait servir à freiner cette chute. Je ne pensais plus qu'à cela.

Malgré la proximité de la mort, et malgré le sadisme des gardiens, l'épreuve la plus dure restait vraiment la faim.

Une faim harcelante, incessante. Les forces diminuent, sans arrêt, et une idée fixe obscurcit l'esprit : manger, manger n'importe quoi, n'importe où.

Au coup de sifflet, vous vous ruez vers la file. Vous tendez, avec précaution, votre quart qui accueille un liquide nauséabond et tiède. Vous le tenez précieusement entre vos mains en cherchant un recoin tranquille où le boire. Vous fermez les yeux, vous le lapez par petites gorgées, en prolongeant ces instants où vous croyez travailler à votre survie.

Je me rappelle la première distribution de nourriture, lors de mon arrivée dans le camp. Je tenais entre mes mains un brouet infâme qui avait l'aspect et l'odeur du goudron.

Je l'avais longuement flairé avec un regard méfiant et dégoûté. Je n'étais pas encore si tenaillé par la

61

faim et je songeais, en toute insouciance, que je pouvais faire l'économie d'une ration, qu'il serait bien assez tôt, demain, pour m'adapter à ce répugnant régime alimentaire.

Un prisonnier âgé d'une cinquantaine d'années était assis en face. Il avait observé mes hésitations, mon dégoût. Il se pencha vers moi :

« Fils, écoute-moi. Tu veux sortir, un jour, d'ici ? Tu souhaites en réchapper ? Alors, ne réfléchis pas, avale ! »

A quel point il avait raison... Devant l'importance des privations votre organisme devient vite si affaibli, dépendant, qu'une seule ration manquante et c'est la mort.

Comment faire comprendre ce qu'il y avait d'obsédant, de destructeur dans cette quête, instant après instant, gramme après gramme, de la vie, alors que le seul dilemme vécu aujourd'hui, à table, par la plupart des hommes investis de responsabilités, est le choix délicat présenté par un maître d'hôtel : « Votre entrecôte, saignante ou à point ? »

*
* *

Maidanek, nous l'apprîmes rapidement, était un camp de pure extermination.

Une pollution effrayante rappelait à chaque instant la proximité de la mort. La fumée et les flammes crachées par les hautes cheminées de briques, installées à l'autre bout de la cour, répandaient, à travers le camp, l'odeur des corps jetés dans les fours crématoires.

Même les plus incrédules des déportés durent se résigner à l'admettre : il n'y aurait ni sursis ni salut.

Tous les jours, chaque matin et chaque soir, des coupes sévères étaient effectuées dans les effectifs présents à l'appel. Les déportés, désignés, sortaient du rang pour être regroupés. La direction du camp mettait un point d'honneur à respecter les quotas fixés pour les chambres à gaz.

Un soir, après un appel interminable, un ordre fut lancé : « Tous ceux qui sont tailleurs de métier doivent rester au garde-à-vous. Les autres peuvent se disperser. »

Mon instinct me commanda de ne pas bouger. S'ils ont besoin de tailleurs, pensais-je, ils les garderont en vie.

L'officier qui circulait entre les rangs m'examina avec un visage dédaigneux, et sceptique :

« Alors, tu crois que tu es tailleur ?

— Non, monsieur, je ne le suis pas.

— Ton père était tailleur ?

— Oui, monsieur, et mon grand-père aussi. Moi, j'étais le Knopflochmachinist.

— Knopflochmachinist, qu'est-ce que c'est ?

— C'est celui qui fait les boutonnières, monsieur, sur une machine très grande et compliquée. Essayez de coudre des boutonnières à la main, vous verrez que c'est très long. Sur la Knopflochmachine, ça prend seulement une minute, à côté du tailleur. »

A Bialystok, dans une des maisons appartenant à mon père, il y avait un atelier de tailleur équipé, je m'en souvenais soudain, d'une machine à percer les boutonnières. Après l'école, le tailleur, lorsque j'y allais, me laissait appuyer un moment sur les pédales pour m'amuser à faire quelques trous. La logique de mon histoire — les tailleurs et les fabricants de boutonnières sont complémentaires — intéressa le SS.

Il me fit signe de me ranger du côté des tailleurs. Celui des vivants.

Je venais de préserver mon existence pour la troisième fois en quelques semaines.

Ce soir-là, avant de m'endormir sur mon bat-flanc, je me prenais pour le jeune Joseph. Abandonné, seul et sans aide en Égypte, il avait dû inventer les moyens de sa propre survie. Le pharaon avait vu en rêve sept vaches grasses et sept vaches maigres. Existait-il quelqu'un à travers le royaume qui pût

64

interpréter ce songe ? Joseph décida qu'il serait déchiffreur de rêves, et gagna la vie sauve. Il avait inventé sa Knopflochmachine...

Le jour suivant, je fus entassé sur un convoi, au milieu des tailleurs. Après deux jours de route, nous sommes arrivés à un endroit appelé Blizin, tristement célèbre parmi ceux qui peuplèrent l'archipel concentrationnaire nazi. C'était un camp de travail situé au milieu de la région la plus sinistre que j'aie jamais vue.

Nous avions été conduits au principal atelier où étaient fabriqués des uniformes de l'armée allemande.

Là, dans un costume rayé comme le mien, la tête rasée comme la mienne, se trouvait Ben. Il était debout, le dos tourné. Mais c'était bien lui.

« Benek ! »

Il se retourna :

« Mula ! »
Je ne me souvenais pas que ses yeux étaient aussi grands. Il avait vieilli de plusieurs années en l'espace de quelques mois. Nous nous sommes embrassés en pleurant et avons commencé à dire tous les deux en même temps : « Mais comment as-tu... »

Nous n'avons pas pu parler plus longtemps. On me collait au travail, à ranger de vieux uniformes qui devaient être retournés et recousus.

Ben déjà familiarisé avec le camp trouva le moyen de me faire affecter à son baraquement.

Le soir, il me raconta qu'il avait été conduit directement du ghetto de Bialystok à Blizin. Comme moi, il avait été séparé de toute sa famille.

Je lui dis que j'étais convaincu que ma mère et ma sœur étaient mortes dès le début. J'avais vu les wagons des femmes et des enfants détachés à Treblinka.

« Quel droit avons-nous de vivre, si toutes nos familles sont anéanties ? » lui confiai-je.

Il me coupa avec violence.

« Mais tu n'as aucune preuve. Et si elles étaient encore vivantes ? Tu n'as aucun droit de mourir ! »

Il m'avoua, cependant, peu après, qu'il avait songé à se suicider. Mais maintenant que nous étions réunis, il fallait chasser ces idées-là de nos esprits. Ensemble, nous pouvions plus pour notre survie qu'un homme adulte. Nous fîmes le serment de tout partager, de tenter l'impossible pour rester unis, et pour survivre.

Ma mère m'avait donné naissance une nouvelle

66

fois. Ce second enfantement avait certainement été, de loin, le plus douloureux pour elle. J'avais donc le devoir de tenter de rester en vie à tout prix. Peut-être même, un jour, pourrais-je porter témoignage, en France, en Amérique, en Australie où était sa famille... de l'indicible abaissement où la perversion d'un monde nous avait précipités.

Mon pacte avec Ben était scellé : la volonté de vivre.

4

Les révélations d'Alexandre Soljenitsyne sur l'univers concentrationnaire ont profondément ému le monde.

Ces épreuves où, abandonné par la communauté internationale, plongé dans l'horreur, menacé d'anéantissement, le prix que l'on vaut se réduit au désir de survivre, contre toute raison, contre toute logique — je les ai connues, vécues. Je les retrouve en lisant Soljenitsyne.

Je ressens avec le géant russe un lien intime, fraternel. Mais non dépourvu d'ambiguïté.

Car, si l'État totalitaire est bien éternellement la même bête puante, le Goulag n'est pas exactement Auschwitz, ni le communisme le frère du nazisme.

69

En outre, une autre dimension est intervenue : notre monde vit maintenant sous la menace de l'anéantissement nucléaire.

Quand la *Pravda,* le principal quotidien soviétique, voulut reconnaître, récemment, de nombreux « éléments positifs » dans ma thèse sur *les Armes de la Paix,* l'intégration économique Est-Ouest, les considérant comme une contribution à la détente — je ne fus pas étonné.

Mais quand Soljenitsyne, le critique le plus violent de la politique du Kremlin, écrivit, lui aussi : « Pisar voit juste », j'ai été très heureusement surpris.

Bien que nous ne percevions pas tout à fait de la même manière les impératifs de la coexistence, ce qui m'unit à ce prophète est infiniment plus fort que nos divergences de vues. Nous sommes tous deux sortis des mêmes décombres. Témoins et victimes d'une terreur érigée en but idéologique, nous avons vécu, lui à trente ans, moi à la moitié de son âge, dans nos enfers respectifs. Nos réflexions les plus profondes se rejoignent tout naturellement sur l'essentiel.

Nous savons aussi que nous n'arriverons jamais à faire ressentir aux « autres » l'horreur absolue de la vie sur les « archipels », qui nous fut imposée par deux idéologies totalitaires et fratricides.

J'ai lu avec fascination son récit *Une journée d'Ivan*

Denissovitch. Cette chronique sur la quotidienneté de l'existence à travers le goulag — oui, c'est la mienne. Les détails, les épisodes vécus ou subis par les détenus soviétiques sont les mêmes que ceux que j'ai rencontrés. Le climat est presque identique, ponctué par la même tristesse, par le même tragique.

La narration était si précise, si exacte, que je ne trouvais rien à ajouter.

Il y avait pourtant, dans le récit de Soljenitsyne, une différence de taille. Le goulag, aussi affreux soit-il, n'est pas, lui, un lieu de pure extermination.

Au fil des pages, je me prenais presque à regretter de n'avoir pas vécu, ne serait-ce qu'un jour, aux côtés d'Ivan Denissovitch. Quel répit ! Lui et ses compagnons attendaient une lettre, des paquets, envoyés par une famille, des amis qui existaient encore. Les colis, les visites leur arrivaient ; certes, bien rares, mais quel réconfort que ce lien, si ténu soit-il, qui vous rattache encore au monde. Ultime ressource que nous n'avions jamais à Auschwitz.

Je ressens toute la tristesse qu'il peut y avoir à procéder à ces comparaisons macabres entre le pire des camps de la mort nazis, auquel j'ai survécu, et ce goulag sinistre d'où Soljenitsyne est sorti. Car ce qui domine tout c'est que ces deux institutions répugnantes continuent d'obséder nos mémoires, nos pensées. Il faut, à tout prix, que de pareilles méthodes soient éliminées à jamais. A tout prix.

Agir pour effacer, partout où elles subsistent, ces survivances barbares, et pour tenter, par-dessus tout, d'empêcher qu'elles renaissent sur tant de continents qu'elles menacent — c'est notre mission de survivants.

*
* *

Auschwitz où Ben, moi et plusieurs centaines d'autres, qui se refusaient aussi à mourir d'épuisement, avions été expédiés, était un lieu d'extermination pure et simple. A mon arrivée, je fus frappé par les dimensions impressionnantes du camp. Chef-d'œuvre de gigantisme, ses baraquements, ses allées, étaient disposés de façon rigoureusement géométrique.

Seule l'odeur écœurante de chair brûlée rompait avec les exigences de clarté, de propreté, qui paraissaient avoir inspiré les constructeurs nazis.

A Blizin, vous deviez trimer jusqu'à la mort avec des rations de nourriture représentant 600 calories par jour, alors que le minimum indispensable, pour un travailleur, est de 2 500 calories.

Mais vous étiez dans un camp de travail et si vous mouriez, c'était seulement de faim, de dysenterie, de typhus ou de violence. Il n'y avait pas de chambre à gaz ou de crématorium pour organiser la mort.

A Auschwitz, acheminés par convois entiers de toute l'Europe, la centaine de milliers de déportés qui remplissait en permanence le camp était déjà le résultat de plusieurs « sélections ». C'est ce qui restait...

J'arrivais, perdu, angoissé dans ce lieu immense. J'errais au milieu d'une multitude de matricules anonymes, lorsqu'un jour je reconnus, debout, près des barbelés, un visage familier. Je le regardais, longuement, éberlué.

Oui, aucun doute, maintenant je distinguais bien ses traits. C'était un ami intime de mes parents qui fut souvent reçu dans ma maison, à Bialystok. Il est là, dans le camp. Je ne suis donc plus totalement seul. Je courus vers lui et l'appelai joyeusement :

« Heniek ! »

Il se retourna, me dévisagea avec froideur.

« Fiche-moi le camp ! »

J'étais tout près de lui. Je tentais maladroitement de tendre les bras, embarrassé, presque honteux.

« Mais je ne te demande rien, je voulais simplement te parler ! »

73

Il détourna la tête, en murmurant sèchement :

« Disparais. »

Je restai figé, abasourdi par cette dureté.

Ce n'est qu'un peu plus tard que j'ai compris. Il était déjà si difficile de travailler à sa propre survie ! Auschwitz exigeait que l'on abandonne tout sentiment et tout élan du cœur. Cet homme avait craint que je ne l'encombre, que je lui enlève une petite part d'une chance. C'était affreux : mais, en me rejetant, il m'avait fait comprendre, dans un éclair, une leçon magistrale.

Cette leçon, je la retrouvais formulée, vingt-cinq ans plus tard, dans un vieux proverbe chinois que je relus plusieurs fois avec surprise tellement il résumait mon expérience :

« Si tu donnes un poisson à un homme,

Il se nourrit une fois.

Si tu lui apprends à pêcher

Il se nourrira toute sa vie. »

Heniek, en me refusant tout réconfort, fait certainement partie de ceux qui me sauvèrent la vie : il m'a appris à pêcher. A ne compter que sur moi-même.

74

A mon tour, je dus abandonner toute vulnérabilité, toute pudeur. J'ai dû rivaliser en dureté, adolescent encore faible, avec le plus impitoyable des univers adultes. Un monde dont on ne peut jamais comprendre la réalité à partir de références aussi abstraites que le courage, l'honneur, la dignité. Ce superflu, ce luxe, n'a pas cours là-bas. Le moment n'est ni à l'interrogation ni à la réflexion, mais au désir, obsédant, rigide, tendu, d'une hypothétique survie. Je devins vite méfiant et prudent.

Naturellement, la leçon que m'avait administrée Heniek ne s'appliquait pas à Ben. Nous formions une équipe plus soudée que jamais.

Après quatre mois dans le camp, nous fîmes une entorse à notre règle de prudence, en nous liant avec Nico.

Arrivé de Rotterdam, Nico avait vingt-huit ans. Il avait dû laisser ses parents âgés à l'entrée du camp. Comme moi, il savait qu'ils avaient été gazés.

Il tranchait sur l'ensemble des détenus par son allure souple et élégante. Son regard aigu et ironique révélait une intelligence rapide, capable de faire face aux situations les plus imprévues, les plus dramatiques. Il devint le troisième membre de notre triumvirat et un allié plein de ressources dans notre combat de chaque jour.

Son pragmatisme était tout à fait à la mesure des

nôtres. Nico, comme Ben, était devenu mon ami dans le camp. Il devint mon frère pour la vie.

* * *

Ni lit, ni draps, ni couverture, mais simplement des bat-flanc qu'il faut partager avec des camarades qui vous apparaissent toujours encombrants, importuns. Vous vous couchez frileusement, grelottant, avec votre treillis mouillé. Votre journée a été rythmée par les coups, l'épuisement au travail et la tension, l'inquiétude sourde de la prochaine sélection qui vous conduira aux chambres à gaz. Vous dormez mal, songeant à la vie, sans grand espoir.

Vos angoisses, aucun des prisonniers, croyez-vous, ne peut les partager. Pourtant elles sont identiques chez tous ceux qui sont alignés dans ces enclaves de mort.

La maladie vous mine. Vous guettez, au matin, les visages voisins, vous essayez de comparer leur dégradation avec la détérioration de votre propre état.

Au milieu du bloc, une large bassine pour permettre aux prisonniers d'uriner ; dès le milieu de la nuit, elle est pleine et se déverse à travers le baraquement.

A 5 heures, chaque matin, vous êtes réveillés par des gardiens vociférants qui déverrouillent les portes et assènent à l'aveuglette coups de poing et coups de matraque. Vous vous levez en hâte, vous secouez un compagnon endormi sur une couchette voisine, tout retard étant sanctionné.

Prêt à sortir, pour l'appel, vous vous retournez une dernière fois vers le prisonnier immobile pour le presser, l'avertir, l'aider. Vous le touchez, vous le retournez, il est froid, il est mort. Pas question de s'attarder auprès du corps. L'inventaire des hommes et des lieux, l'appel, est la seule des priorités. A la seconde près.

Sous les ordres, les coups de sifflet et les menaces de punition vous sortez du baraquement pendant que d'autres en évacuent les déchets : la bassine d'urine et les cadavres de la nuit. Car ce monde méticuleux a toutes les exigences : les corps doivent être alignés sur le sol, en rangs aussi impeccables que les files de vivants.

A travers le camp, ce sont des dizaines de milliers de silhouettes en loques, qui semblent sorties tout droit de l'imagination hallucinante de Jérôme Bosch, figées, résignées. Véritables automates dressés à des gestes d'obéissance et à une psychologie de soumission, tous attendent, au garde-à-vous, que les SS et les Kapos, ces matons sadiques, terminent le pointage des détenus.

Une erreur, un caprice et le compte des matricules recommence. Ces appels, qui ont lieu deux fois par jour, peuvent durer des heures. Vous stationnez, immobile, soumis à un vent glacé et à des températures qui avoisinent parfois moins 30°. Face aux regards de SS, des gardiens, vous tentez — il le faut — de faire bonne figure.

Vous luttez à chaque instant contre vous-même, contre le désespoir qui ne cesse de vous envahir. Quelquefois, vous pensez que vous êtes arrivé à bout. Vous entendez les coups de sifflet qui ponctuent votre réveil et vous songez : tant pis, je ne peux plus bouger ! Ils feront ce qu'ils voudront. A quoi bon cette énergie dépensée à survivre, puisque...

Tout de suite, il faut écarter ces pensées, continuer d'essayer de donner le change : vous vous levez et vous prenez votre place dans le rang, le menton volontaire, en tentant, réflexe dérisoire, de bomber un torse amaigri, dépourvu de chair.

Lorsque vous partez sur votre lieu de travail, une activité souvent grotesque, toujours épuisante, où il faudra tenter d'éviter les punitions, les mutilations, vous êtes l'exemple même de la « sous-race » joyeuse, réconfortée à l'idée d'avoir une occupation.

En rangs serrés, vous passez sous le portail d'entrée surmonté du slogan — « Le travail donne la liberté » — en marchant au pas cadencé. Vous reprenez avec entrain des chants à la gloire d'Adolf Hitler, fredonnés par un Kapo mélomane, dont je me rappelle encore aujourd'hui chacune des paroles.

Tout, dans le camp, est obéissance absolue. Chaque geste du déporté doit être empreint de déférence envers les chefs.

Vous vous écartez respectueusement, ou vous vous collez contre la cloison lorsque ces « seigneurs » circulent à travers votre baraquement. Aucun défi dans le regard ; vous devez avoir des yeux d'oiseau, fuyants et inquiets. Croisez-vous un nazi dans le camp ? Vous vous figez immédiatement et, en une fraction de seconde, vous arrachez votre calot de la tête pour le garde-à-vous.

Un jour, je passe devant un des commandants du camp sans le voir. Le soir, à l'appel, la punition est aussitôt annoncée. Nous sommes tous immobiles dans la cour, face aux barbelés et aux miradors : « Le matricule B-1713 recevra vingt-cinq coups de fouet, pour manque de respect. »

Je suis déshabillé, attaché, face à mes camarades.

Les premiers coups tombent ; les lanières de cuir sont prolongées par des petites boules de plomb qui me frappent l'aine.

« Un, deux, trois, quatre, cinq, six, sept... »

Soit par un réflexe d'orgueil puéril, soit pensant naïvement que ce serait compté en ma faveur, je n'ai pas poussé un gémissement. L'officier SS qui me fouette s'arrête, intrigué.

« Tiens, nous avons ce soir un prisonnier qui n'éprouve aucune douleur ! Nous allons essayer d'une autre manière : Sept, six, cinq, quatre, trois, deux, un. »

Puis il repart : un, deux...

Les coups me lacèrent la peau comme un couteau. Je ne réagis pas, j'entends dans les rangs quelques détenus qui crient :

« Hurle, imbécile, ou tu vas crever ! »

J'ai dû recevoir plus de trente coups avant de m'évanouir.

Je reprends conscience dans mon baraquement, le dos arraché, le ventre enflé. Ben et Nico m'observent et essayent de me soigner. La douleur est si forte que je suis incapable d'un geste.

A cet instant, pourtant, retentit un coup de sifflet. Il faut évacuer le bloc.

Ils me remettent debout. Je vacille. Je tente de prendre appui contre le mur. J'enfile mon treillis sur la chair à vif, la douleur devient encore plus insoutenable. Je crois que je n'arriverai jamais à accomplir le premier pas. mais il faut, à tout prix, que je reprenne ma place.

La règle fondamentale, qu'il faut avoir à chaque

80

instant à l'esprit, si l'on veut tenter de survivre : ne jamais admettre, ou laisser paraître, le moindre signe d'infirmité, ni de faiblesse.

Une angine, une jambe démise, une plaie qui s'infecte ? Impossible ! Le principe est impitoyable : les plus faibles doivent être détruits.

Il existe une infirmerie au centre du camp. Si vous le demandez, vous pouvez y aller. On vous accueillera convenablement. Vous serez au chaud, soigné, nourri. Et puis, une fois rétabli, vous serez utilisé comme cobaye et brutalement castré.

Vivant en permanence dans la puanteur des excréments humains, nous avons le droit d'aller aux latrines une fois par jour — durant dix secondes, et sans papier.

De même, les ravages du typhus achèvent un individu en quelques jours, et maintiennent une certaine « autorégulation » dans ce monde qui est le plus hétéroclite des « microcosmes multinationaux ».

Juifs, Tziganes, Russes, Polonais, etc., constituent un ensemble où les oppositions de race, d'idéologie, de confession, se fondent dans l'angoisse commune. Nous apparaissons comme une société parfaitement égalitaire, où chacun a le même droit à la faim, à la torture et à la mort.

Malgré l'ingéniosité des nazis, devant les convois

qui ne cessent de déverser leurs chargements vers l'abattoir, il faut atteindre des normes toujours plus hautes : 6 000, 7 000 puis 8 000 gazés par jour.

Ce n'est pas assez ! Il faut arriver à un quota encore plus élevé qui ira jusqu'à 10 000 ou plus par jour. L'usine de mort ne doit pas cesser de dépasser ses propres records.

Heinrich Himmler et Adolf Eichmann tentent avec énergie, par tous les moyens, d'élever chaque fois plus le taux de mortalité. Dans leur zèle à anéantir, ils entrent même en conflit avec les responsables économiques du Reich, qui attachent de l'intérêt à cette main-d'œuvre, gratuite, que constituent les esclaves des camps.

Jusqu'à leur dernier soupir, les condamnés restent victimes du surnombre, de la promiscuité. Poussés dans un local qui ressemble à une salle de douche, on les oblige à se serrer les uns contre les autres. Au fur et à mesure que la pièce se remplit, les SS deviennent plus brutaux, multipliant les coups. Je l'ai vu. Des hommes, des femmes, des adolescents sont ainsi entassés. Les lourdes portes de métal se referment ensuite sur les victimes. Quelques cris, le son de prières rapidement entonnées. Puis le silence. L'acide cyanhydrique fait son travail : en trois minutes, tout est terminé.

Les portes des chambres sont rouvertes et la masse des cadavres enchevêtrés s'écroule à l'extérieur, comme une pile de linge sale.

Maintenant, c'est au tour des Sondercommandos. Ces charognards forcés sont des détenus chargés de trier les cadavres encore chauds. Ils prélèvent les dents en or, les objets de valeur, qui seront régulièrement envoyés à Berlin, à l'adresse de la Reichsbank. Les membres de ces groupes vivent dans une enceinte à part, complètement séparés du reste du camp ; ils sont, à leur tour, systématiquement exterminés au bout de quelques semaines, ou de quelques mois.

Même si vous restez discret, et apte au travail, les tirages au sort peuvent jouer contre vous.

Un jour, je suis ainsi désigné pour faire partie du quota fatal. Avec mon groupe, j'attends plusieurs heures devant l'enceinte du crématorium. Personne ne songe plus à en réchapper. Mais des colonnes entières passent devant nous, prioritaires. Peut-être sommes-nous en avance sur le planning, ou les autorités en retard sur le rythme d'extermination. En tout cas, après une longue attente, nous sommes ramenés jusqu'à nos baraquements. Le jeu de hasard continuera.

Je suis de nouveau sélectionné, quelque temps après.

J'ai juste le temps de faire à Ben un signal d'adieu, puis nous sommes regroupés et nous traversons tout le camp. Un trajet qui paraît bien court... Nous

sommes parqués dans un baraquement spécialement gardé d'où, une fois que nos numéros matricules auront été relevés, nous serons conduits par
camions vers les chambres à gaz.

Les condamnés échangent en silence des regards
fous, traqués, où la rage de ne pouvoir agir s'ajoute
à l'effroi de la mort imminente.

Au fond de la pièce : un baquet en bois, rempli
d'eau, et une brosse.

Au milieu du désarroi général, de la paralysie de
chaque âme, je m'accroupis. Je rampe vers la
bassine. Je commence à frotter le plancher avec
toute la vigueur du déporté actif, docile, qui cherche à s'acquitter au mieux d'une tâche qu'on lui
aurait imposée.

Ne négligeant aucun recoin, j'accomplis mon travail
avec régularité et application, tout en me rappro-
chant, lentement, de l'entrée... Les gardes, qui
jettent régulièrement des coups d'œil à l'intérieur,
par la porte ouverte, m'ont aperçu. Mais ils deviennent involontairement mes complices :

« Hé, cette partie est encore sale, recommence ! »

A genoux, je frotte. Ils me lancent des ordres,
j'obéis. Chaque latte du parquet est savonnée,
décapée, avec « l'énergie du désespoir ». Je passe
entre les jambes des autres condamnés qui, tout à
leur terreur, ne me remarquent plus.

84

Je continue de ramper en frottant, sous les regards goguenards des surveillants qui se divertissent à multiplier les vexations.

« Astique encore ce coin, fainéant ! »

Mon obéissance est totale.

Lorsque, enfin, après un temps, infini, j'accède aux marches qui conduisent vers la sortie, chacune d'elles est frottée, avec une conviction qui attendrirait le plus impitoyable des Kapos. Je ne suis que gestes répétés, entêtés, sur ce bois usé par des milliers de pas.

Les bottes des Allemands m'encadrent. L'instant de vérité. Je prends le baquet d'une main, la brosse de l'autre et je commence, lentement, à m'éloigner.

J'attends le cri, les bruits de pas, qui m'intimeront l'ordre de m'arrêter. Rien.

Indifférents, les gardiens ont cessé de s'intéresser à moi. Je n'appartiens plus tout a fait au monde des morts.

Alors, d'un pas en apparence nonchalant, je retourne me fondre dans l'anonymat du camp, redevenu un matricule vivant. J'arrive, épuisé, à mon baraquement.

Avant de sombrer dans le néant du sommeil, je revois un instant le visage de ma mère.

Au réveil, Ben et Nico sont stupéfaits. Ils ne peuvent croire que je suis revenu. Ils avaient assisté à mon départ et cru, cette fois, que notre association de survie était irrémédiablement dissoute...

*
* *

Le rite du pain résume toute la tristesse, le désespoir, de l'existence dans le camp.

Au cours du repas du soir, un petit pain gris est distribué pour être coupé et réparti entre six prisonniers. Le groupe se forme ; l'objet convoité est évalué, mesuré, contemplé avec fascination.

Dans ce monde d'individus repliés sur eux-mêmes, sur leurs souffrances, des discussions presque folles se déroulent. L'équilibre entre les parts est disputé, contesté, avec âpreté.

C'est que la frontière entre la vie et la mort passe par ces quelques millimètres que vous pensez avoir obtenus, ces quelques milligrammes que vous craignez de perdre.

Un membre du groupe prend un couteau : un deuxième lui tourne le dos. Les autres, témoins et parties, guettent, muets. L'homme coupe et celui qui ne peut voir, répartit les tranches. Ensuite, on compare ; courte exclamation de joie, regard empli de tristesse !

La psychose du manque maintiendra éveillés de nombreux déportés qui, toute la nuit, se retourneront sur leur paillasse en songeant à la part qui leur a échappé, au morceau qu'ils se sont vu attribuer.

Les angoisses alors se bousculent avec les interrogations : ce pain, vais-je le manger maintenant, ce soir ? Ne serait-il pas préférable d'attendre demain matin, il servira ainsi de ration d'appoint ? Ne va-t-on pas me le voler ? Où pourrais-je le cacher ?

— Je me souviens d'un homme de quarante-cinq ans environ et de son fils de vingt ans. Ils partageaient mon baraquement. Un soir, le fils mange sa portion. Le père, lui, décide de conserver la sienne sous sa tête pour le lendemain.

Au petit matin, un cri déchirant : le pain du père a disparu. Le fils le lui a pris dans la nuit. Pour le père, ce chaînon alimentaire manquant apparaît, immédiatement, comme fatal. Étrange comme un organisme qui a atteint les limites de la résistance physique peut être définitivement brisé par un choc contre l'esprit. Avant le soir, il est mort.

Dans ce monde sans miroir, où vous n'êtes plus qu'un squelette en mouvement dépourvu d'existence propre, ce sont les autres qui vous évaluent, qui vous renseignent, vous condamnent...

« Tu es musulman ! »

L'homme, ainsi désigné, n'a même plus la force de broncher, de protester. Prostré, émacié, la démarche saccadée et l'œil mort, il se sait, il se sent condamné. Le terme de « musulman » dont chaque déporté se souvient et dont je n'ai jamais compris l'origine, dans ce contexte dramatique, est le plus terrible des jugements. Il désigne ceux dont on voit, dont on sait, qu'ils sont arrivés au bout de leurs ultimes forces ; ceux qui n'ont plus d'autres réflexes que celui de la souffrance physique. Ils ont échappé aux chambres à gaz, risqué d'être pendus ou battus à mort ; maintenant ils vont mourir d'épuisement ; cela se voit.

Ils s'écrouleront un ou deux jours après, dans une allée du camp, au milieu d'une file, sur leur lieu de travail. Insensibles aux coups administrés pour les remettre sur pied, ils meurent dans l'instant.

Quotidiennement, tandis que des détenus sont conduits en rangs serrés vers la mort, d'autres se dirigent vers l'immense tas d'ordures situé à proximité du camp : Kompostierung II.

Ce trajet devient, aussi, le plus fabuleux des rendez-vous amoureux. Les hommes qui tirent le chariot en direction de la décharge sont des Kapos, surprivilégiés, violents, sadiques, jouissant de l'impunité. Les femmes, choisies avec la complicité des gardiennes, ignorent tout de leur destination ; elles sont jeunes, jolies, pour la plupart vierges. Un peu à l'écart du tas d'immondices, une maison délabrée dont le grenier a été recouvert de paille : le bordel d'Auschwitz !

Des épisodes d'une rare beauté où la pudeur le dispute à l'innocence ! J'ai quatorze ans, j'assiste à ces orgies, chargé d'approvisionner les participants en eau. Vision indélébile de l'humanité.

Passé le premier moment de panique, les femmes doivent s'adapter rapidement. Il leur faut surmonter leur répulsion, satisfaire pleinement ces « dieux obsédés » ; car les dieux punissent. Une jeune fille dont ils sont déçus peut repartir avec un blâme, une punition qui la condamne à être rouée de coups, exécutée.

*
* *

Au fil de ces années d'existence sous-humaine, qui apparaissaient de plus en plus précaires et sans issue, rien ne venait apporter l'ombre d'une espérance.

Aucune information en provenance du monde extérieur ne pénétrait dans cet univers totalement clos. D'ailleurs quel monde extérieur ? Existait-il encore une guerre ? L'arrogance des SS nous conduisait à penser que toute l'Europe était asservie comme nous l'étions.

Une force aussi impressionnante que l'Armée rouge

avait été anéantie ! Alors, par quel miracle l'Angleterre n'aurait-elle pas capitulé ?

Et l'Amérique ? L'Amérique, trop éloignée, n'était pas préparée à la guerre. Et comment aurait-elle pu renverser une situation aussi compromise ? Non, rien ne pouvait empêcher le règne millénaire du IIIe Reich.

Les jours se succèdent, et vous finissez par vous résigner à tout. Face à ce désespoir, votre vie ancienne s'estompe, les souvenirs deviennent flous.

Vous perdez la notion des jours, des mois. Seuls le froid de l'hiver et la chaleur de l'été révèlent le passage des saisons.

Le spectacle des « autres », les SS, les Kapos, qui paraissent mener une vie normale, humaine, rend votre condition encore plus insoutenable. L'odieuse mécanique qui tend à vous broyer pour vous transformer en un être sous-humain est efficace. Vous finissez par admettre que ceux qui vous oppriment sont, en effet, des seigneurs de par leur race et leur naissance, qui disposent d'un droit de vie et de mort sur les êtres inférieurs.

Un dimanche sur deux, vous êtes au repos. Vous disposez de quelques heures de répit. Recouvert de poux et autres vermines, séchant dans la boue et vos excréments, vous profitez des rares rayons de soleil pour exposer à la chaleur les plaies énormes, puantes, que vous avez tout le long du corps et qui ne se referment jamais. Vous tentez d'enrouler ces blessures dans des bandages de papier qui se déchirent au bout de quelques mouvements. Guettées par la gangrène, ces plaies restent exposées à la saleté de votre treillis en lambeaux, à la crasse des paillasses ; à tout ce qui peut toucher un bagnard qui creuse la terre, et transporte de lourdes charges.

Par petits groupes, quelques détenus marchent péniblement en longeant les barbelés ; d'autres, immobiles, le regard absent, restent accroupis. Un peu plus loin, des déportés se pressent autour d'un robinet. Ce dimanche libre est le seul moment où l'on peut se rincer la figure et les mains en s'essuyant avec sa veste crasseuse. Les cheminées ont cessé, pour une fois, de cracher leurs déchets humains. Sur les voies ferrées qui aboutissent au camp, les wagons, chargés de leurs matières périssables, sont, pour un jour, immobilisés.

En évaluant votre état physique, vous supputez vos chances de survivre. Ces jambes enflées, purulentes, qui vous gênent, exigent de vous un effort permanent pour paraître marcher correctement. Vous savez ce qui arrivera inexorablement, si leur état empire, et si le Kapo s'en aperçoit.

A Auschwitz, d'autres adolescents, juifs et tziganes, avaient réussi, comme moi, à passer les premiers tris. Leur présence, leur afflux, embarrassaient le commandement nazi : ils ne servent à rien.

L'hiver était particulièrement dur, la température

glaciale, la nourriture plus réduite que jamais. Un jour, un avis fut lancé à travers les baraquements de ma section du camp : les adolescents devaient se présenter pour recevoir une ration supplémentaire, composée de lait et de pain blanc. Deux denrées, dont les déportés avaient, depuis longtemps, oublié le goût, l'aspect et même jusqu'à l'existence. Un rêve.

Quelques enfants faméliques s'approchent lentement du lieu de la distribution. Chacun d'eux reçoit la ration promise.

Le soir même, l'appel est réitéré, la promesse répétée.

Le jour suivant, les adolescents se pressent un peu plus nombreux ; ne viennent encore que ceux qui n'ont plus la force d'être méfiants. Ils repartent en emportant, éblouis, le précieux liquide. Les jours se succèdent, et les distributions continuent.

Bientôt une fièvre d'optimisme se répand. Chacun admet qu'il s'agit bien d'un geste humanitaire, pour conserver ceux qui sont les plus vulnérables.

La majorité des prisonniers, dans mon baraquement, s'abandonne à une crédulité insensée : quelqu'un de haut placé, à Berlin sans doute, a dû être indigné par les conditions d'existence dans les camps et a donné l'ordre de traiter les jeunes de façon plus humaine...

Affaibli, jour après jour, je me refuse pourtant à y aller.

Puis je me dis qu'il est stupide, au fond, de rester muré dans ma méfiance. Il est maintenant démontré qu'il n'y a plus de risque. Les enfants, les adolescents et même quelques jeunes hommes qui se glissent parmi eux, se pressent, chaque jour, plus nombreux pour recevoir leur ration, ils apparaissent détendus, presque réconfortés. Pourtant, je reste terré... J'hésite encore.

De nouveau, l'heure ponctuelle du rendez-vous. Les enfants arrivent, leur quart à la main. Tous s'apprêtent à se mettre tranquillement en rang, comme à l'ordinaire.

Quelques rapides coups de sifflet, des SS en armes surgissent. En un instant, tous sont encerclés, roués de coups, embarqués dans des camions et conduits aux chambres à gaz. Liquidés, tous, sans exception.

Auschwitz retrouve ses normes, débarrassé de ces bouches inutiles. Simple fantaisie, reculant l'horreur aux frontières de la folie.

5

Le jour célèbre, et héroïque, du débarquement en Normandie, le 6 juin 1944, ne fut à Auschwitz qu'une journée ordinaire. Le nombre habituel des gazés excéda le total des pertes alliées sur les plages, lors du « jour le plus long ».

Des Polonais, qui effectuaient des livraisons aux SS du camp, réussirent à propager, un peu plus tard, la nouvelle qu'un débarquement aurait eu lieu... quelque part à l'ouest.

Certains prisonniers murmuraient que les Russes aussi étaient engagés, dans une contre-attaque sur le front Est. Inimaginable.

Ainsi l'impossible n'était plus inconcevable : la résistance britannique, le retour de l'Armée rouge, la mobilisation de l'Amérique, auraient enrayé l'irrésistible conquête du monde par le Reich? Incroyable.

Pour Ben, Nico et moi, la vie n'en fut pas plus simple. Le régime hitlérien connaissait une pénurie de main-d'œuvre industrielle de plus en plus accentuée. Comme nous étions encore relativement bien portants, nous fûmes chargés dans un train de marchandises, avec un contingent d'autres prisonniers, et expédiés au cœur de l'Allemagne.

Après un bref séjour près de Berlin, dans les camps d'Oranienburg, puis de Sachsenhausen, nous avions été débarqués dans une large clairière, au milieu d'une forêt couverte de neige. Nous devions, dans le froid glacé d'un début d'hiver, construire complètement un nouveau camp, baptisé Kaufering.

Nos compagnons mouraient de froid, et d'épuisement, en édifiant les baraquements, les ateliers.

Mais, du moins d'après les plans, il n'était pas prévu la construction d'une chambre à gaz.

Mon premier travail me rappela le bordel d'Auschwitz. Des convois en provenance de Budapest amenaient régulièrement des groupes de jeunes femmes, primitivement destinées à l'usage de la Wehrmacht sur le front de l'Est, qui apparemment s'effondrait.

Comme j'étais le plus jeune — j'avais quinze ans —

c'est moi qui devais les fouiller avant leur entrée dans le camp. Il fallait chercher dans le plus intime de leur corps les pièces d'or et autres objets de valeur, qu'elles auraient pu y cacher.

La tâche de Ben était moins délicate : abattre des arbres. Quant à Nico, qui avait deux fois notre âge, il fut chargé d'une fonction de supervision. Il devint même Oberkapo, avec une autorité considérable sur plusieurs milliers de prisonniers.

Les Kapos n'étaient qu'une bande de brutes et, à la libération, le réflexe immédiat des survivants fut de traquer et de lyncher ceux qui avaient été les responsables les plus directs, les plus quotidiens, de la mort de leurs compagnons.

Personne, cependant, ne put adresser de reproches à Nico. Les prisonniers savaient la chance inouïe de l'avoir eu comme Oberkapo ; et les risques qu'il avait pris, chaque jour. Sa méthode consistait à adopter un langage terrible, menaçant, pour pouvoir agir, sans qu'on s'en aperçoive, avec modération.

Il reçut, un jour, l'ordre de faire pendre immédiatement trois hommes qui avaient volé des cigarettes dans le poste de garde.

Les condamnés tombèrent à genoux devant lui, le suppliant de les sauver.

Après une engueulade cinglante, ordurière, il les

accrocha à la potence... par les pieds. En leur conseillant, à l'oreille, de crier le plus fort possible au moment où les nazis feraient leur inspection. Puis, il ordonna, au même moment, qu'ils soient fouettés. Il risquait sa vie, de nouveau.

Mais les SS trouvèrent le spectacle si divertissant qu'ils négligèrent de les achever, ordonnant simplement à Nico de leur infliger des coups de fouet supplémentaires.

Nico parlait rarement de son passé. Il avait travaillé comme marin pour la compagnie maritime Holland-America Line, et il avait appris l'anglais et l'allemand au contact des passagers. On disait aussi qu'il avait été gangster à Rotterdam. Je ne le croyais pas, et de toute façon, cela n'avait aucune importance. Il était avec Ben mon meilleur ami.

Je ne l'aurai sûrement pas changé contre une douzaine de mes plus hautes relations actuelles qui n'auraient jamais eu l'audace, la générosité et l'efficacité qu'il ne cessa de montrer.

Cette période où sa situation me mettait relativement à l'abri des excès des autres Kapos fut, hélas, de courte durée.

***

Au cours de l'hiver 1944, je fus expédié à ce vieux et gigantesque camp qu'était Dachau, rempli, en

98

grande partie, de prisonniers politiques, de criminels de droit commun et d'homosexuels.

Nous commencions à sentir que ces déplacements,
fréquents, mal organisés, reflétaient le désarroi du
IIIᵉ Reich.

Au bout de quelques semaines, je fus transféré à
Leonberg, près de Stuttgart, où sont fabriquées,
aujourd'hui, les voitures Mercedes.

A cette époque, Leonberg était en apparence une
petite bourgade allemande typique. Un seul détail
la différenciait. Une montagne située aux limites de
la ville abritait une usine souterraine de fabrication
aéronautique à laquelle on accédait par un tunnel.
Je passai, ainsi, des mois à river des boulons sur le
fuselage des bombardiers Heinkel, qu'on précipitait
aussitôt vers le front contre les armées alliées.

Leur production s'accéléra ; et devenait frénétique.
Douze heures de travail quotidien, à l'intérieur de
cette forge de Vulcain. Au camp, la nourriture et
les conditions d'existence devaient nous maintenir
en vie ; notre travail était nécessaire au Reich.

Paradoxalement, ce fut le souci des nazis d'assurer
notre sécurité qui devint notre plus grand danger.

Le ministre pour l'Armement, Albert Speer, avait
ordonné que tous les ouvriers travaillant dans ce
secteur vital qu'était l'aéronautique soient protégés
au maximum contre les raids alliés.

A chaque alerte, on nous conduisait immédiatement à l'intérieur de la montagne.

Quelquefois, nous venions de terminer notre tournée de nuit et nous nous dirigions vers les baraquements pour dormir. Les sirènes se mettaient à hurler et « Achtung », il fallait repartir à la montagne jusqu'à la fin de l'alerte.

Ou alors, de retour au camp, effondrés pour la nuit, épuisés, plongeant dans un peu de sommeil ; de nouveau « Achtung », une autre attaque aérienne et le retour vers l'usine dans la montagne.

Ce va-et-vient se multipliait chaque jour et chaque nuit. Nous étions, cette fois, vraiment au bout de nos forces. Encore plus que la faim ou la maladie, l'absence systématique du moindre sommeil, après la dureté du travail, brisait nos dernières ressources.

C'était insoutenable. Nous aurions donné n'importe quoi, au risque de mourir, pour quelques heures de sommeil. Cet état d'épuisement total commença à décimer la population laborieuse du camp. Les bombardiers de la RAF et les forteresses volantes américaines passaient en vagues de plus en plus rapprochées. Souvent, nous étions surpris dans le camp, ou à découvert, quand les bombes tombaient par chapelets.

Les bombardements nocturnes, avec les lumières

100

qui jaillissaient des fusées éclairantes, étaient un spectacle qui nous enivrait. Ils annonçaient une délivrance, un jour, plus que n'importe quelle émission de radio, si nous avions pu la capter. Il fallait tenir, tenir bon, tenir encore un peu plus longtemps, jusqu'au moment où la libération nous arriverait, de l'Est ou de l'Ouest.

Nos maîtres aryens, quand ils plongeaient à terre, pris de panique, devant les tapis de bombes, devenaient un peu... nos égaux. Nous éprouvions même un sentiment de supériorité quand, au milieu des bombes, nous pensions, avec une sorte de confiance mystique, qu'un homme qui avait pu survivre si longtemps à la bestialité nazie ne pouvait périr sous le feu de ses amis, de ses frères.

Les raids provoquèrent des bouleversements dans nos horaires de travail. Parfois, on nous conduisait à Stuttgart pour dégager les blessés et les morts. Notre préoccupation était plus tournée vers les sous-vêtements chauds que vers les cadavres. Ce qui me paraît impensable, aujourd'hui, je l'ai accompli à quinze ans sans le moindre scrupule. Dévêtir un cadavre ? Quelle importance, après ce que j'avais vu et subi. Vivre pour atteindre, si possible, la liberté — rien d'autre n'existait dans notre esprit.

Les gardiens, et les ingénieurs de l'usine, devenaient de plus en plus nerveux, et hostiles. Si ce devait être, pour eux, le début de la fin, ils ne perdraient jamais une occasion de nous rappeler que notre tour viendrait — avant le leur.

Une nuit, nous entendîmes, déchirant l'obscurité, des explosions continues d'une tonalité tout à fait différente. Des camarades, qui avaient servi dans l'armée, pensaient qu'il s'agissait de tirs d'artillerie lourde.

Quelques nuits plus tard, nous fumes réveillés par une déflagration assourdissante, une succession d'explosions qui firent trembler le camp. Au petit matin, nous en vîmes la cause. Les Allemands avaient décidé, devant la progression alliée, de détruire cette installation stratégique qu'était l'usine Heinkel. Ils avaient dynamité le tunnel et les prisonniers qui y travaillaient étaient restés enterrés.

Nous fûmes, le lendemain, emmenés à la gare pour être repliés devant « l'avance ennemie »... Ces mots inouïs, tabous, commençaient à être murmurés.

La gare était en pleine pagaille. Notre groupe fut mélangé à des équipes de travailleurs obligatoires venus de différentes parties d'Europe.

J'eus une idée. Je me ferais passer pour allemand, pour aryen.

Je parlais maintenant couramment la langue, et je pouvais prétendre être un travailleur, détenu de droit commun, né à l'étranger, de parents germaniques. Un ouvrier italien me donna un pantalon et une veste civile, et je me baptisai du prénom de « Gerhardt ».

En tant que non-juif, mes chances dans la confusion de ces derniers instants devraient être considérablement augmentées... J'avais tort.

Nous fumes entassés dans un train pour un voyage interminable et cahotique. A la fin, le paysage me devint familier et quelques heures après, nous entrions dans le camp que j'avais quitté quelques mois plus tôt : Kaufering.

Ben et Nico étaient encore là. Heureusement, car, marqué par l'absence de sommeil, j'arrivais dans une condition physique désastreuse. J'étais presque devenu « musulman ».

Alarmés par mon état, Nico et Ben allèrent voler des bandages et des médicaments au poste de garde. Lorsque je repris quelques forces, je vis Nico à mes côtés, narquois. « Alors, ce jeune imbécile était parti, croyant trouver mieux. Et maintenant, le voilà de retour n'ayant que la peau sur les os et demandant qu'on lui pardonne. »

Rien ni personne, en somme, c'était écrit, ne pouvait nous séparer longtemps. Ben et moi en arrivions à croire à quelque forme de la providence divine. Nico restait sceptique et attribuait plus simplement ces retrouvailles au hasard.

La guerre touchait à sa fin. Mais plus l'échéance se rapprochait et plus, pour nous, le danger augmentait. Le sol se dérobait sous les pieds des nazis, c'était maintenant au tour du IIIe Reich de lutter pour sa survie.

Comme ils n'avaient aucune possibilité de repli, ils devaient nous liquider tous, comme ils l'avaient juré et comme ils avaient commencé à le faire à Leonberg. Il ne fallait pas que le monde apprenne leurs crimes.

Que fallait-il faire ? Courber la tête et attendre notre libération en espérant que les SS, dans la dernière panique, nous oublieraient ?

Il n'était pas dans notre nature de miser sur un miracle.

Avec une dizaine d'autres prisonniers, nous avons commencé à préparer un plan. Nous couperions les barbelés au moment où, immobilisés par une manœuvre de diversion, les projecteurs balayeraient une autre partie du camp ; et nous foncerions.

Cette évasion représentait un risque terrible, mais étant donné ce qui nous attendait, il devait être couru.

Dans un tel projet, le rôle de Nico était essentiel.

104

En tant qu'Oberkapo, il était le seul qui fût capable de se procurer la paire de cisailles dont nous avions besoin.

Les autres membres de notre petit groupe nous regardaient, Ben et moi, avec réticence. Absurde de s'embarrasser d'une paire de gosses ?

Mais ils savaient que, s'ils voulaient la participation de Nico, ils devaient nous accepter.

Nous guettions le moment. Les choses se précipitèrent.

Quelques jours plus tard, on nous ordonna de former deux rangées : une pour les Juifs et l'autre pour les non-Juifs.

Fort de ma nouvelle identité, Gerhardt, je me rangeais dans la colonne des non-Juifs, tandis que Ben et Nico, résignés, rejoignaient l'autre file. Dans la cohue du départ, il n'y eut aucun contrôle d'identité. Ma colonne s'ébranla et commença à franchir la porte du camp. Je fus alors saisi d'une irrésistible impulsion.

En un instant, je bondis dans l'autre file. Au moment où j'arrivais à hauteur de mes deux compagnons, je reçus un violent coup de poing en plein visage. C'était Nico : « Idiot, me lança-t-il, maintenant tu vas crever avec nous. »

Peut-être étais-je idiot, mais nous étions ensemble.

105

Ben était à la fois peiné et heureux de mon geste, tout comme Nico d'ailleurs dont la violente réaction reflétait sa manière d'exprimer son affection.

Je devais apprendre bientôt que ma transformation en Gerhardt avait failli être la plus stupide de mes trouvailles.

La ligne de front allemande s'effondrait et la colonne des non-Juifs vint trop près de la zone de guerre, ce qui ne plut pas au commandement de la Wehrmacht. La totalité du groupe fut donc mitraillée par les SS, jusqu'au dernier, au milieu d'un pont.

Notre colonne de Juifs, composée de plusieurs milliers d'hommes, avançait en empruntant des routes secondaires. Un bruit courait : nous allions à Dachau. Étant déjà passé par ce camp, j'avais pu voir ses installations de mort et je savais que cela signifiait, pour nous, la fin.

Ceux qui avaient accepté Nico comme responsable de la tentative d'évasion, marchaient groupés derrière lui.

Quand l'occasion se présenterait, nous profiterions, à son signal, du moindre incident pour foncer dans les bois. Tout reposait sur la conviction que les gardes ne voudraient pas risquer de perdre une colonne entière pour courir après une douzaine de fuyards. Nico répéta : « Restez près de moi. »

Nous marchâmes durant deux jours et deux nuits. Dans l'après-midi du troisième, des chasseurs alliés nous prirent pour une colonne allemande et commencèrent à nous mitrailler en rase-mottes. Terrés dans les fossés, de chaque côté de la route, les SS tiraient dans toutes les directions.

Nico cria : « Allez ! »

J'ai bondi avec Ben. Nous avons couru vers les arbres. D'autres prisonniers aussi. Les tireurs nazis en abattirent le plus grand nombre. Quelques-uns parvinrent jusqu'à la forêt. Nico, Ben, moi et deux ou trois autres.

Nous courûmes, jusqu'à ce que nous soyons à bout de souffle, à la limite de nos forces. Puis, nous nous sommes arrêtés pour écouter.

Aucun bruit de poursuite. Seules, des rafales intermittentes provenaient de la route.

Nous nous sommes enfoncés dans la forêt.

A la nuit, épuisés, nous nous étions arrêtés. Je sombrais dans le sommeil et je fus réveillé par les rayons du soleil.

Le plus sûr semblait être de marcher vers l'Ouest en avançant la nuit, en restant cachés le jour.

Comme j'étais le plus jeune et celui qui ressemblait le moins à un prisonnier évadé, je fus chargé d'approvisionner notre groupe en nourriture, en eau et en vêtements. Un de mes premiers actes fut de dénicher, dans une ferme, pour paraître encore plus jeune, un pantalon court, une de ces culottes de cuir si répandues en Bavière. La dernière invention de ma mère servait encore. Mais cette fois, il fallait passer pour un gosse.

Nous arrivions dans une région plus peuplée, proche du front, fourmillant de soldats, et il devenait difficile de passer inaperçus. Une nuit, nous pénétrâmes même, involontairement, sur une base aérienne.

Finalement, il fut décidé de chercher un lieu où nous nous dissimulerions, sans plus bouger, durant toute la retraite allemande. Nous nous installâmes dans une grange abandonnée, aux abords immédiats d'un village, où nous sommes restés plusieurs jours.

Un après-midi, allongés sur la paille, nous entendîmes une sorte de bourdonnement, comme un essaim d'abeilles.

Puis le crépitement fracassant d'une mitrailleuse, juste à droite de la grange. Quand le tir s'arrêta, le bourdonnement était là énorme, insolite, métallique. Je regardai à travers un trou dans la paroi : un tank.

Il s'arrêta.

Le bourdonnement cessa.

Des mitrailleuses et des mortiers tiraient sur lui.

La tourelle du tank pivota, le long canon sembla s'arrêter, pointé sur la grange, tourna encore un peu et cracha une gigantesque flamme. Les coups de feu cessèrent.

Le tank resta immobile, puis progressa lentement vers nous. Je voyais sur ses flancs un emblème qui n'était pas l'ignoble croix gammée, mais une étoile blanche.

L'insigne de l'armée américaine ! Mon crâne fut sur le point d'éclater. Poussant un hurlement démentiel, je crevai à pieds joints le plancher de paille du grenier. Je sautai à terre et courus vers le blindé.

Mais les Allemands avaient rouvert le feu et j'étais juste dans la ligne de tir. Inconscient, je courais toujours. Le tank répliqua deux fois et la fusillade s'arrêta. J'arrivai au blindé.

Un grand Noir surgit de la tourelle et m'apostropha dans une langue inintelligible. Je tombai aux pieds du soldat, serrant mes bras autour de ses jambes. Les trois mots d'anglais que ma mère me répétait si souvent quand elle songeait à notre délivrance me revinrent à l'esprit et je lui criai à pleins poumons : « God Bless America. »

Le Noir américain me fit grimper dans la tourelle.

Nous étions libres.

6

Les G.I. m'interpellent « Hi Kid ». Je réponds « Heil Roosevelt ». Je suis adopté par l'armée.

Je suis nourri, et habillé. Je suis vivant. Mais je ne suis pas content.

Je voudrais que ces tanks à l'étoile blanche du général Patton — pourquoi restent-ils là ? — foncent jusqu'à Berlin, Auschwitz, Maidanek, Treblinka. Peut-être un des miens, je n'ose pas penser qui, est encore vivant.

Mes nouveaux amis américains comprennent mon impatience. Quelques-uns parlent le yiddish appris de leurs grands-parents. Un colonel, de Chicago, m'apprend que sa famille est originaire d'un village proche de Bialystok.

Il a pris part à la libération d'un camp et quand il évoque cet épisode, il devient pâle.

Lui et ses hommes m'écoutent, silencieux, pendant des heures, incapables de retenir leurs larmes. Le colonel est obligé de leur répéter que tous les prisonniers de guerre nazis, même les SS, doivent être traités selon les principes de la convention de Genève, sous peine de cour martiale.

La radio annonce, un matin, que l'Allemagne vient de capituler. Le IIIe Reich a cessé d'exister. Le régiment explose de joie. Ben, Nico et moi, nous restons ensemble à l'écart de cette liesse. Qui célèbre l'événement à Rotterdam ? Qui le célèbre à Bialystok ? Je me sens perdu. Mon esprit frémit à la pensée de revoir, ne serait-ce qu'une fois, cet univers anéanti, où vécurent ces morts dont le cauchemar hante mes nuits.

Que suis-je devenu ? Que faire de ma liberté, de ma vie ?

*
* *

Seul Ben ne pouvait admettre que sa famille ait disparu. Il voulait rentrer à Bialystok, dans l'espoir insensé de retrouver sa mère et ses sœurs vivantes.

J'essayai de le dissuader. Non seulement la possibilité de retrouver des survivants semblait nulle, mais notre ville natale était maintenant aux mains des

Russes. Ben et moi demeurions toujours citoyens soviétiques ; un statut qui nous avait été imposé par Staline lors de son partage de la Pologne avec Hitler, en 1939. Ben risquait de ne plus pouvoir ressortir. Or, nous avions déjà goûté au paradis communiste... Nous voulions vivre.

Cependant, Ben s'entêta et partit.

Sur les routes encombrées par des hordes de réfugiés, il trouva plusieurs personnes fuyant la région de Bialystok. Elles lui décrivirent la ville rasée, la population juive exterminée, l'Armée rouge au pouvoir. Il fit demi-tour et revint.

L'Allemagne vaincue baignait dans un climat de chaos et de violence. De nombreux prisonniers libérés assouvissaient leur soif de revanche contre les nazis, devenus peureux et soumis.

D'autres déportés s'étaient organisés pour traquer les SS. Il était facile de les repérer, même habillés en civils, car ils portaient tous un signe tatoué sous l'aisselle. Je n'ai jamais éprouvé de plaisir à m'acharner sur ces créatures méprisables. Ben non plus. En ce qui concerne Nico, je serai plus réservé.

Un des chasseurs impitoyables qui opéraient dans notre région s'appelait Moshé. Interné à Auschwitz, il avait perdu toute sa famille dans la liquidation du ghetto de Varsovie. Fou de douleur, chaque matin, au petit déjeuner, il partait à la recherche de SS à tuer.

Notre trio n'était guère belliqueux ou animé d'un profond esprit de vengeance. Nous ressemblions plutôt à trois paumés, presque embarrassés par cette liberté retrouvée.

Notre premier acte d'hommes libres fut de voler trois grosses motos dans un ancien dépôt de l'armée allemande. Sur ces puissantes machines, nous passions nos journées à sillonner les routes aux environs de Penzing, le petit village où nous étions installés, et nos nuits avec de jeunes Allemandes.

C'était devenu la préoccupation essentielle de Nico, et il n'avait pas été nécessaire d'insister beaucoup pour que Ben et moi l'imitions.

Nous arrivions, en moto, dans une ferme, et nous demandions poliment au fermier, du lard, du beurre, du fromage et des œufs. Je portais un énorme Mauser sur ma hanche, dont en vérité, je ne savais que faire. L'Allemand obéissait sans un murmure. Après avoir chargé ces provisions, je lui glissais dans la main un papier soigneusement plié. Quand il l'ouvrait, il pouvait lire : « Le Dieu miséricordieux vous paiera — Samuel Pisar. »

Le plus difficile avait été de débuter. Après, nous avions pris l'habitude de circuler à travers la région pour nous approvisionner royalement en denrées les plus variées. Mais assez vite, nous nous sommes lassés de ces raids. Nous commencions à trouver les limites du village trop étroites.

114

Nous transférâmes nos activités dans la ville la plus proche, Landsberg, à 50 km de Munich. En graissant la patte d'un concierge, nous avions pu nous installer dans un vaste appartement dont les fenêtres donnaient sur la place principale. Il avait appartenu à une famille tuée durant la guerre.

L'occupation de l'Allemagne offrait à n'importe qui des possibilités fructueuses et attrayantes. Notre savoir-faire, acquis dans les camps, stimulé par nos énergies neuves et ambitieuses, cherchait un terrain d'application. Nous l'avons vite trouvé. Les Allemands vivaient, pour la plupart, dans une pauvreté abjecte face à des Américains débonnaires, plongés dans une abondance solitaire. Nous pouvions jouer les intermédiaires entre ces deux mondes.

Contre une cartouche de cigarettes « Lucky Strike », nous pouvions mettre en relation un G.I. noir esseulé et une « Frau » allemande accueillante. Mais notre vrai pouvoir de négociation reposait sur le café, denrée suprême et inaccessible.

Ben trouva une place comme aide-cuisinier dans un régiment américain. Ainsi, chaque matin, en préparant le petit déjeuner, il versait dans la cuve quelques centaines de rations supplémentaires de café.

J'arrivais après avec ma moto et j'entassais tout le résidu dans mon side-car argenté. Je le ramenais à notre appartement pour le sécher dans le four de la vieille cheminée. Ensuite, nous l'écoulions par sachets, sur le marché, sous l'appellation « véritable bohnen café brésilien », en échange de tout objet de valeur.

La population allemande soumise, depuis bien avant la guerre, au régime de l'ersatz, était prête à tous les sacrifices pour savourer enfin l'arôme et le goût d'un « vrai » café.

Puis, nous avons diversifié ce système. Un certain Herr Pflanz, commerçant de son état, désespéré du peu de valeur du mark, accepta de nous céder une partie de son stock de chaussures. La transaction fut conclue sur la base de deux livres de café contre une paire de chaussures, que nous échangions ensuite contre d'autres articles.

Au fil des mois, nous avions acquis dans la ville de Landsberg une réelle notoriété. Nico, totalement épanoui, collectionnait les femmes et les costumes de la meilleure coupe. Vêtu d'un pardessus bleu et d'une écharpe blanche négligemment nouée autour du cou, il promenait, à travers la ville, une silhouette nonchalante.

Moi, j'assouvissais, du matin au soir, ma passion de la moto ; accomplissant les acrobaties les plus absurdes, gagnant les paris les plus dangereux. Après la vie passée dans les camps, j'avais la sensation d'être invulnérable ; je continuais, presque par réflexe, à jouer avec la mort.

Nous étions totalement déchaînés, prêts à tenter n'importe quoi du moment que c'était amusant, nouveau, provoquant. Nous aurions dû périr au moins une douzaine de fois, tellement nos vies étaient incohérentes, excessives. Mais c'était la liberté.

La chute arriva de façon brutale : elle résulta d'une rencontre avec un Allemand qui possédait une cave bien garnie.

Contre une livre de café, de deuxième main, nous obtenions une bouteille de schnapps de première catégorie. Contre cinq bouteilles de ce cognac et, en bonus, une blonde docile, les chauffeurs américains qui conduisaient d'énormes camions-citernes, acceptaient de siphonner une partie de leur chargement d'essence.

Cette nouvelle activité prospérait de façon si spectaculaire que nous étions en train de rendre quasiment non opérationnelle toute la division américaine stationnée dans la région.

Le commandement, atteint dans ses biens et sa discipline, ne pouvait pas rester sans réagir. De plus, au fil des mois, les autorités alliées comme la population allemande aspiraient à un certain retour à l'ordre.

Un matin, Nico fut arrêté et jeté en prison. J'étais scandalisé. Une victime de la persécution nazie était de nouveau privée de liberté. Comble de la provocation, ce bon, ce cher Nico, était incarcéré dans la même prison allemande qui, vingt ans plus tôt, avait abrité un agitateur nommé Adolf Hitler, qui mit à profit cette détention pour y écrire *Mein Kampf.*

C'était, pour moi, monstrueux. Qu'avions-nous fait, sinon répondre avec efficacité à la loi de l'offre et de la demande ? La vie totalement pervertie du camp, et l'incohérence de l'après-guerre, avaient peut-être légèrement faussé notre évaluation du bien et du mal. Et après ?

Je n'hésitai pas un instant à soudoyer l'un des gardiens allemands. L'homme me fit pénétrer dans l'enceinte de la prison.

Nous avions longé des couloirs métalliques jusqu'au moment où il s'arrêta devant la porte d'une cellule. Après un rapide coup d'œil à l'intérieur, à travers le judas, il se mit à chercher dans le lourd trousseau de clés qu'il tenait à la main. La serrure avait grincé, la porte s'était entrebâillée et j'aperçus Nico assis, hirsute, complètement nu à l'exception d'un slip. Il me regarda stupéfait :

« C'est pas vrai ! Qu'est-ce que tu fais là ?

— Je viens te libérer.

— Tu es fou, je crois que tu as réellement perdu la tête.

— Non, j'ai pensé à tout. J'ai un des surveillants de la prison dans ma poche. Nous avons un plan d'évasion.

— Écoute — Nico se fit tranchant — arrête de te croire encore dans le camp. Ces Américains ne sont pas les nazis. De plus, ils ne tireront rien de moi, et je serai libre dans quelques jours. »

Espoir non fondé. Non seulement, il ne fut pas relâché, mais Ben et moi fûmes, à notre tour, arrêtés.

Ben fut placé dans la même prison que Nico.

Moi, âgé de seize ans, je fus enfermé dans une centrale réservée aux jeunes délinquants allemands.

En quelques jours, je réussis, sans difficulté, à semer un tel climat de rébellion parmi les détenus qu'on me plaça en détention solitaire.

Mesure insuffisante. De mon cachot, je multipliais les insultes et les appels à la révolte. Alerté, le directeur vint me voir.

« Il va falloir que tu te calmes, sinon...

— Comment, un cours de morale, maintenant? Espèce de nazi, de SS! Vous deviez être dans les camps et, maintenant, vous poursuivez votre sale boulot ici. »

L'homme, petit fonctionnaire de l'administration pénitentiaire, resta décontenancé par la violence de ma réaction.

Il téléphona aux autorités militaires américaines et obtint mon transfert à la forteresse de Landsberg, celle de Hitler.

J'y retrouvai mes deux amis installés dans une vaste cellule qui abritait également un joli échantillonnage de criminels endurcis.

« Salut.

— Bon sang, pas croyable, comment as-tu fait ?

— J'ai réussi à les persuader que... »

Une odeur de roussi envahit soudain la cellule. Je sentis des brûlures sur mon dos. On venait de mettre le feu à mes vêtements. Baptême réservé aux nouveaux arrivants. Je me roule à terre pour éteindre les flammes. Les autres prisonniers, hilares, se tiennent les côtes.

Nous échangeons tous les trois un rapide coup d'œil, et nous fonçons sur eux. En l'espace de quelques secondes, le spectacle dans la cellule est celui d'un véritable combat de rue.

Il faut dire que Nico était un professionnel, frappant ses adversaires avec une précision diabolique, pendant que Ben les ceinturait et que je leur immobilisais les bras.

Après quelques affrontements aussi violents, suffisants pour démontrer notre sang-froid et notre expérience, les autres détenus finirent par nous laisser en paix.

Au bout d'une semaine, nous n'avions toujours aucune précision sur notre sort.

Je négociai, alors, avec un gardien, contre une pièce d'or cachée dans ma chaussure, la possibilité d'utiliser le téléphone installé dans son bureau.

Je demandais à l'opérateur de m'obtenir le siège de l'UNRRA à Munich. Les représentants de cette agence des Nations unies avaient été vus à travers toute l'Allemagne, aidant les personnes déplacées, leur fournissant nourriture et refuge et s'efforçant de les rapatrier dans leur pays d'origine. Nous n'avions, tous les trois, aucune intention d'être placés dans un centre de réfugiés. Mais nous estimions que le temps était venu de faire valoir judicieusement nos droits.

Mon interlocuteur, au bout du fil, parlait allemand avec un fort accent américain.

« Goldberg à l'appareil », dit-il.

Je poussais un soupir de soulagement.

« Shalom ! Écoutez, je viens d'avoir seize ans. Je sors des camps nazis. A peine libéré, on m'enferme de nouveau, sans raison, et vous savez où ? »

Je marquais un court silence :

« Dans la même prison qu'Hitler, à Landsberg. Vous devez tout faire pour me sortir d'ici, et mes amis aussi. »

Je sentais à quel point le jeune Américain était stupéfait.

« Quel est votre nom ? » demandait-il.

Je le lui donnai. Je lui parlai aussi de Ben, de Nico et d'Auschwitz. J'ai tout lâché.

Deux jours plus tard, nous étions sortis de prison et confiés à un officier de l'UNRRA, venu en jeep avec des documents officiels délivrés par les autorités américaines d'occupation. Tout était l'œuvre de l'admirable Goldberg.

Nous fûmes conduits à Munich et placés dans un centre de réfugiés situé dans la banlieue de la ville. Les officiels, préoccupés par notre avenir, s'efforçaient de satisfaire au mieux toutes nos demandes. Nous passions le plus clair de notre temps en dehors du camp, dans les cinémas ou les cafés.

C'était une existence agréable mais nous avions la nostalgie de notre ancienne vie. Un jour, paisiblement, nous prîmes le train pour Landsberg, avec la ferme intention de reprendre nos activités là où nous les avions laissées.

Mais le climat avait changé. Le regard de boy-scout de Goldberg, le dévouement des officiers de l'UNRRA, avaient produit leur effet. Une mauvaise conscience s'était insinuée au fond de nos âmes.

Le remords peut prendre divers aspects. Chez nous, il se traduisait par une exaspération les uns envers les autres.

« Regardez-vous. (Nico nous interpellait.) Vous ne pouvez pas continuer à traîner ainsi. Secouez-vous un peu.

« Essayez d'acquérir une petite éducation. Vous êtes vraiment deux voyous. »

Je sentais qu'il y avait chez moi des lacunes béantes. Ben dit : « Je cherche... euh... j'aimerais apprendre quelque chose. » Quand il prononça ces mots, je sus que c'était aussi ce que je voulais.

Nico avait, froidement, cerné ce manque.

Alors, humblement, nous nous étions mis en quête d'un professeur. Nous avions trouvé un ancien officier de la Wehrmacht.

« Que voulez-vous apprendre ? »

J'avais échangé avec Ben un regard embarrassé.

« Oh, bien, le plus possible ; par exemple un peu de latin ; un peu d'arithmétique, un peu de géographie. »

Nous avions, ne sachant rien sur rien, une petite soif de culture. Et l'homme était avide de café. L'accord fut conclu. En échange de quelques sachets dont nous avions eu la prudence de constituer des stocks, le professeur commença.

Mais cet effort intellectuel était trop dur, et il arrivait trop tôt. Le poker nous était beaucoup plus naturel. Nous avons congédié notre professeur. Et nous passions nos nuits à jouer aux cartes dans un local clandestin avec des représentants endurcis de la pègre.

Une nuit, je perdis mon argent, puis la collection de bagues que j'avais amassée.

« Il te reste encore ta moto, me dit l'un des joueurs. Mets-la en jeu.

— Ça, jamais ! »

J'ai quitté la table. Furieux contre... mon père. Si seulement lui, si doué, avait consenti à m'apprendre le maniement astucieux des cartes !

Ce n'est que beaucoup plus tard que j'ai compris

combien il avait eu raison. S'il avait cédé, j'aurai rapidement fini avec un couteau dans le ventre.

* *
*

Petit à petit, nous étions devenus plus mesurés. Nous avions pris à notre service une cuisinière et nous songions à ouvrir un magasin.

Landsberg avait constitué pour nous une formidable chambre de décompression, un no man's land étonnant entre l'enfer passé et le retour à la normale qui s'amorçait de façon inéluctable. Mais si nous voulions rester dans cette ville, il fallait que nous acceptions de nous plier à un certain conformisme de manières. Une éventualité qui ne me tentait pas.

Alors que nous déjeunions, la cuisinière entra, un jour, dans la salle à manger.

« Il y a quelqu'un en uniforme, me dit-elle, qui voudrait vous voir. »

Nous avons immédiatement interrompu notre repas. Ceux qui opèrent à la lisière de la légalité ne sont jamais enchantés de recevoir la visite imprévue d'un uniforme.

« Dites-lui que je ne suis pas là. »

Et nous avons sauté, tous les trois, par la fenêtre de la cuisine.

Quelques heures plus tard, alors que nous rentrions, persuadés d'être en sécurité, la cuisinière réapparut.

« L'homme en uniforme est revenu. Il insiste pour vous voir. Il dit qu'il est un parent. »

L'idée que je pouvais encore avoir une famille ne m'avait plus, depuis longtemps, traversé l'esprit.

« Comment est-il ?

— Il parle l'allemand avec un fort accent français ; ah, j'oubliais... il a ajouté qu'il est journaliste, et marié à votre tante. »

Ce qui m'apparaissait impensable devint soudain plausible. Des souvenirs longtemps enfouis me revenaient. C'est vrai, ma mère avait une sœur étudiante à Paris.

Était-il possible que du bouquet de fleurs blanches, brûlé dans notre cheminée à Bialystok, et qui symbolisait les funérailles définitives de notre famille, puisse encore éclore une étincelle de vie, en dehors de ma seule mémoire ?

L'homme s'appelait Léo Sauvage. Vêtu d'un uniforme de l'armée française, le visage chaussé de grosses lunettes, il me parut avoir une trentaine d'années. Mais, par son ton hésitant, son allure d'intellectuel, il me semblait très fragile et sensible, aux antipodes de mon milieu. Il était décontenancé.

Préparé à rencontrer un enfant martyr, squelettique, il avait en face de lui un personnage bien nourri, en forme, tout à fait à son aise.

« Mon Dieu, dit-il, comme tu ressembles à ta tante. »

Nous parlions en allemand, notre seule langue commune.

Lentement, mais avec précision, il me raconta. Dès la fin de la guerre, sa femme, ma tante Barbara, était rentrée à nouveau en relation avec mes oncles Nachman et Lazare en Australie et avec notre famille aux États-Unis. Ayant appris le génocide monstrueux, ils avaient tenté de retrouver une trace, un indice, qui leur permettrait de savoir si oui ou non quelqu'un avait survécu. Sans résultat.

Puis, dans une liste de rescapés des camps que l'armée américaine avait fait circuler, ils avaient vu un Samuel Pisar. Samuel était le fis de David. Il devait avoir dix ans quand l'Est de la Pologne avait été avalé par l'Union soviétique puis par le Reich. Il était inconcevable que ce petit « Mula » pût avoir survécu, tandis que tant d'adultes avaient péri.

« Ta tante a envoyé un télégramme à Bruxelles, à l'adresse indiquée sur la liste. Elle a reçu une réponse » :

« Chère tante, viens, je suis malade, j'ai besoin de toi ! »

Je souris.

— Vous savez, ce n'est guère mon style.

— Attends la suite. Elle arrive à Bruxelles, trouve l'adresse, grimpe les étages et frappe à la porte. Un vieillard lui ouvre. Il est chauve, et visiblement très malade. Elle lui demande :

« Êtes-vous Samuel Pisar ?

— Non, réplique le vieil homme, mon nom est Stachelberg.

— Mais vous avez répondu à mon télégramme. »

L'homme se tasse un peu, paraît au bord des larmes.

« Je suis seul et malade. J'étais dans un camp de concentration. Quand j'ai vu ce télégramme, j'ai pensé que je pourrais emprunter ce nom, Pisar, et que vous m'aideriez un peu. »

Ta tante, hébétée, se raccrochant à un dernier espoir, lui a demandé :

« Mais vous savez où habite M. Pisar ?

— Je n'ai jamais entendu ce nom. »

« C'était un rude coup pour nous tous. »

Léo Sauvage, correspondant de guerre, disposait d'une grande liberté de mouvement, pour circuler dans les zones alliées, et partout où il allait il demandait à prendre connaissance des dossiers sur les personnes déplacées.

A Munich, il avait retrouvé le nom de Samuel Pisar. La personne avait été placée dans un centre de réfugiés — mais avait disparu. La seule adresse qui existait était la prison de Landsberg où il avait été détenu.

Sauvage s'était précipité dans cette ville. Il était entré dans un café sur la place.

« Avez-vous entendu parler de quelqu'un du nom de Samuel Pisar ?

— Herr Pisar, bien sûr. Il habite la maison juste à côté. »

Léo me contemplait maintenant avec une perplexité mêlée d'inquiétude. Je lui apparaissais comme un animal étrange.

« Ta tante m'a donné pour mission, si je te retrouve, de te ramener avec moi.

— Mais je suis bien ici — j'ai mes amis, j'ai ma, ... heu... mon occupation. »

Sauvage hocha la tête, semblant m'approuver. Il devait penser : « D'abord gagner la confiance du garçon, après nous verrons. »

« Tiens, à propos, j'ai un petit cadeau de ta tante. »

Il avait extrait de sa poche une montre métallique. Le geste était délicat, et dans cette période de pénurie, un tel objet acheté à Paris avait dû coûter une jolie somme.

Je la pris avec désinvolture.

« Ah ! c'est gentil. »

Il avait remarqué l'imposante montre en or massif à mon poignet, et il semblait cacher son embarras derrière la fumée âcre de ses cigarettes françaises, dont il tirait des bouffées rapides. Il en était à son dernier paquet.

« Hum... Oncle, viens avec moi. »

Je passai dans une pièce voisine. Après avoir écarté quelques objets, je fis sauter le couvercle d'une large caisse en bois. Elle contenait cent cartouches de Lucky Strike. J'en offris une à Sauvage et je lui dis, pour fanfaronner :

« Je fume seulement des américaines ! »

Il accepta en silence la cartouche que je lui tendais, en se pinçant les lèvres.

Tante Barbara arriva une semaine plus tard. Avec une énergie peu commune, elle avait triomphé des multiples obstacles administratifs qui rendaient difficile le voyage des civils français en Allemagne occupée. Le rapport que lui avait fait son mari avait provoqué chez elle la panique...

Vingt-neuf ans, jolie, spirituelle, et cultivée, elle était prête à un long siège. Elle annonça qu'elle vivrait dans notre appartement. Nico, galamment, lui abandonna la chambre à coucher qu'il utilisait pour ses conquêtes.

Je le mis en garde.

« Ecoute, Nico, un faux pas envers ma tante et je te casse la figure. »

J'étais charmé par son humour, son raffinement si français. Je crois qu'elle était amusée par nos existences de vauriens. Mais elle en mesurait, aussi, les limites et les dangers.

J'éludais, quand elle me parlait de la nécessité, pour moi, de changer d'existence, de partir avec elle. Mais je me demandais combien de temps j'arriverais à résister. Finalement, elle joua son va-tout en s'appuyant sur le seul argument qui pouvait m'ébranler : « Au nom de ta mère, tu dois venir. »

Des lambeaux de souvenirs m'assaillirent. Je

revoyais le sourire de ma mère, ses gestes. Barbara m'avait pris au piège d'une réalité que j'avais crue enfouie, écartée à jamais.

« D'accord, j'irai à Paris... si Ben et Nico viennent avec moi. »

Après une longue négociation, nous étions parvenus à un compromis. Je partirais dès que Léo et Barbara auraient réglé toutes les formalités de séjour en France. Après, c'était promis, ils feraient la même chose pour Ben. Nico, dont le passé et la situation posaient des problèmes plus délicats, ferait l'objet d'un examen ultérieur.

Il était dur pour moi d'annoncer à mes amis qu'une fois encore nous allions être séparés, même pour une courte période. Et, cette fois, les choses se déroulaient dans des circonstances plus agréables. Eux, de toute façon, pensaient que je ne resterais pas longtemps.

Le commandant américain, qui devait examiner mon cas, nous reçut Barbara et moi, sans manifester beaucoup de chaleur.

« Je serais ravi, dit-il à ma tante, de vous donner l'autorisation de sortie que vous souhaitez, mais avez-vous bien réfléchi à ce que vous faites ? »

Mes transactions illicites, mon arrestation, puis mon emprisonnement, enfin, ma fuite du centre de l'UNRRA, ne laissaient guère d'espoir, à ses yeux, quant à mes possibilités de régénération morale. Avant de signer le papier, il se pencha vers Barbara, presque implorant :

« Dites par hasard, puisque vous paraissez si bien disposée, est-ce que vous ne pourriez pas les prendre tous les trois ? »

Ensuite, nous nous étions rendus au consulat de France à Munich avec ma moto. Ma tante dans le side-car.

Le consul était un fonctionnaire zélé. Il énumérait les multiples formalités auxquelles je devais satisfaire, avant de pouvoir franchir la frontière française.

« Il nous faudrait sa carte d'identité, un bulletin d'état civil, envoyé par la mairie de son lieu de naissance. Nous avons aussi besoin d'un certificat médical et de trois témoignages de moralité. »

Barbara le contempla, d'abord incrédule, puis éclata.

« Vous réalisez ce que vous dites ? Sa ville a été rasée, les archives ont été détruites, sa famille exterminée. Sa seule carte d'identité est tatouée sur son bras gauche : son matricule d'Auschwitz. »

Le consul s'agita, mal à l'aise.

« Je comprends, madame, mais je n'y peux rien. Revenez dans trois mois. »

Barbara, folle de rage, se leva alors de son fauteuil.

« Vous êtes pire que les nazis... »

L'homme pâlit.

« Regardez-le, dit-elle. (Et dans un geste véhément, elle tendit le doigt dans ma direction.) Il est condamné s'il ne quitte pas ce pays. Et c'est vous, monsieur, qui lui donnez le coup de grâce. »

Nous avions quitté le consulat, Barbara effondrée, moi ennuyé pour elle. J'aimais bien cette jeune tante qui déployait autant d'efforts pour son petit neveu « si fragile et si vulnérable ». Et Paris, dont j'avais entendu parler si souvent à Bialystok, serait peut-être, après tout, intéressant à découvrir.

« Barbara, ne t'inquiète pas. Rentre, je te rejoindrai bientôt. Je te le promets.

— Toi ? Mais comment feras-tu, seul, contre tous ces fonctionnaires ? »

Je lui adressais un sourire rassurant, comme à une enfant peinée.

« J'ai une idée, tu verras. »

Barbara repartit. Rester plus longtemps était maintenant devenu sans objet. Elle comptait poursuivre ses démarches à Paris.

Quelques semaines plus tard, Ben et moi sonnions à la porte de son appartement, boulevard Saint-Michel, juste en face du jardin du Luxembourg.

Nous nous étions joints, clandestinement, à un train qui transportait notamment un groupe de militaires polonais. Quand ils continuèrent leur voyage, ils étaient allégés de deux compatriotes.

Léo et Barbara étaient ravis de me voir, mais ils avaient paru quelque peu surpris de la présence de Ben. Pour l'imposer, j'avais des arguments indiscutables.

« Écoutez, pour venir vous rejoindre, j'ai tout abandonné. Ma maison, mon confort, mes motos... Et... — ce dernier argument était décisif — Ben n'a plus de famille, il est seul au monde. Nico, je suis d'accord, ça presse moins, mais n'oubliez pas qu'il viendra lui aussi. »

Paris semblait plus grand que je n'avais imaginé. Ses jardins, ses palais, ses palaces, ses cathédrales — tout y était majestueux. Mais la ville était grise, marquée par la pénurie. Le rationnement était encore important et ses effets étaient pénibles pour nous, après l'aisance de notre commerce à Landsberg.

Barbara et mon oncle habitaient un tout petit

appartement avec leur jeune fils, Pierre, et ils ne pouvaient pas nous loger. Ben fut hébergé boulevard Raspail, chez une amie de Barbara et moi, près du Panthéon, chez un célèbre psychologue, le Pr René Zazzo.

Je découvrais un monde nouveau. Jusqu'à maintenant, pour survivre, j'avais dû me durcir, écarter tous sentiments, toute vulnérabilité. Pour la première fois, à travers Léo, Barbara et leurs relations, j'évoluais dans un autre univers.

Au début, c'était déroutant. Je devais me plier à des choses aussi simples que de manger à heures fixes ou de dormir dans le même lit.

Les ravissantes jeunes femmes qui étaient les amies de ma tante rendirent cette routine plus acceptable. Au bout de trois semaines, je disparus pour m'installer chez l'une d'elles.

A ses yeux, je devais ressembler à un fauve qui, lentement, s'apprivoisait. Pour la première fois, mes gestes, mes actes, n'étaient plus accomplis dans un contexte dramatique. Je commençais à éprouver, pour les gens, des sentiments.

Je pensais que j'allais surprendre cette jeune femme par mon expérience, mais, en réalité, j'ai appris d'elle infiniment plus.

Mes oncles Lazare et Nachman, installés en Australie, étaient impatients de m'accueillir. Je n'étais pas

136

opposé à l'idée d'émigrer sur ce nouveau continent, d'autant qu'ils avaient promis de faire tout ce qui était en leur pouvoir pour accueillir aussi Ben et Nico.

L'affection de ma famille retrouvée était une expérience nouvelle et agréable, mais j'avais, quand même, dû vendre les quelques biens que j'avais encore, conservant seulement ma montre en or. Je n'aimais pas manquer d'argent.

Barbara et Léo admettaient, sans peine, que l'Australie nous offrirait beaucoup plus de possibilités que la France de l'après-guerre. Mais, en attendant mon départ, le mieux que j'avais à faire, disaient-ils, était de trouver une occupation. En plus de mes cours d'anglais à l'école Berlitz, je travaillais chez un photographe spécialisé dans les photos de starlettes.

Je développais ces clichés. J'imagine qu'à l'époque, les ambitions de Léo et de Barbara devaient être précises : « Mon Dieu, s'il pouvait rester dans cette chambre noire, à travailler honnêtement. Quel miracle ce serait. »

Certains réflexes normaux revenaient, mais personne n'imaginait, à l'évidence, qu'une véritable rédemption fût possible pour moi. C'était impensable. J'avais été trop loin dans l'enfer.

Un matin, je reçus mon billet pour l'Australie. Je devais gagner le port anglais de Southampton pour

137

embarquer à bord d'un hydravion qui me conduirait à Melbourne.

Trois jours plus tard, je bouclais ma ceinture, installé dans la carlingue de l'hydravion, prêt à décoller pour une autre planète. Je quittais l'Europe, certainement pour toujours, et sans regret. Cette terre ravagée par ses démences, ses lâchetés, son goût suicidaire, avait finalement disparu de ma vie et de mes horizons.

7

Marseille, Port Saïd, Aden, Calcutta, Bangkok ;
l'hydravion progressait par étapes et s'arrêtait, tous
les soirs, pour une escale.

La distance, chaque jour plus grande, qui m'éloi-
gnait de l'Europe, accentuait mon sentiment de
vivre une émigration irréversible.

L'ancien vœu, si cher, de ma mère, s'exauçait.

Le soleil se couchait au moment où nous amerris-
sions dans la baie de Singapour. Je contemplais, à
travers le hublot, le paysage asiatique. L'avenir...

Je débarquai, ma valise à la main, et je me dirigeai
vers le car qui devait conduire, comme chaque soir,

les passagers à l'hôtel pour la nuit. Dans trois jours, je serais en Australie.

En levant les yeux, je vis une silhouette imposante, massive, qui me contemplait de la terrasse.

Je m'arrêtai pour mieux distinguer l'homme. Oui, pas d'erreur possible. Ce visage qui me fixait avec émotion... Un instant, je fermai les yeux. Je revoyais des photos, des épisodes de mon enfance. L'homme qui se dirigeait maintenant vers moi d'un pas hésitant était Nachman, le frère de ma mère. Il avait quitté Bialystok lorsque j'avais huit ans.

Personnage de légende dans notre famille, il avait insisté pour que nous partions en Australie avant qu'il soit trop tard. Il était obsédé par cette fatalité, cette horreur du destin, qu'il pressentait, comme ma mère, et qui devait aboutir à la destruction de tous les nôtres.

« Tu es là ! »

Il secouait la tête comme s'il n'arrivait pas à croire à cette réalité. Cet homme qui dégageait une impression de force tranquille, était secoué de sanglots en m'embrassant.

Nous sommes restés immobiles, face à face, un long moment. Puis Nachman parut revenir à la réalité. Il m'adressa un sourire rassurant, me passa un bras autour du cou en prenant, d'un geste ferme, ma valise posée à ses pieds.

140

« Viens, dit-il. Je suis venu t'accueillir à Singapour, pour pouvoir parler avec toi. »

Il s'interrompit un instant.

« Au moins une fois. »

Il prit un taxi et donna l'adresse du Raffles Hotel, un des hauts lieux de l'Empire britannique en Extrême-Orient.

« Après notre conversation, ajouta-t-il, nous oublierons tout, absolument tout. Une fois en Australie, il faut que ce soit une vie nouvelle, entièrement nouvelle, qui commence pour toi. »

Arrivés au Raffles, Nachman s'installa dans ma chambre. Je voyais qu'il était profondément marqué par un sentiment de culpabilité. Il ne se pardonnait pas d'avoir été impuissant à empêcher la mort de toute notre famille dont je restais l'unique symbole.

Les questions précises qu'il me posait me mettaient mal à l'aise. Je comprenais son drame, son dilemme, mais à quoi bon? Il me parlait d'une planète morte.

Dans la nuit chaude et humide, mes réponses devenaient de plus en plus évasives, à mesure que mon malaise augmentait.

J'étais jeune et je voulais vivre. Je ne voulais pas devenir un objet de culte, une référence tragique. J'eus un sentiment de révolte, et l'envie de fuir.

Nachman dut sentir que quelque chose n'allait pas. Il s'interrompit et un silence gêné s'établit entre nous. La nuit tombait sur Singapour.

« Te rappelles-tu, lui dis-je, ton ami Kniazeff ? »

Je voulais l'apaiser, lui prouver que, malgré tout, il n'avait pas été inutile. Je voulais faire un effort pour lui raconter un peu de ce qu'il désirait tant savoir...

« Kniazeff, dit-il, naturellement, c'était un de mes meilleurs amis. Nous appartenions au même club sportif, en 1937.

— Il nous a sauvé la vie ! »

Je lui décrivis comment les SS avaient donné l'assaut au ghetto et la fuite avec ma mère et ma sœur, au milieu du massacre, des carnages, jusqu'aux portes de l'hôpital. « Nous avons aperçu Kniazeff, le directeur de l'hôpital, qui tentait de calmer la foule apeurée, massée devant le bâtiment. Mère lui a crié : « Je suis la sœur de Nachman Suchowolski ! »

Kniazeff l'a entendue. Il lui a immédiatement frayé un chemin et nous sommes entrés à l'intérieur.

Nachman écoutait, abasourdi.

J'ajoutai, pour en finir :

« Ce fut notre dernière nuit ensemble. Au petit matin, les SS pénétrèrent dans l'hôpital et nous séparèrent... à jamais. »

Je fus pris de nausée, et dus courir à la fenêtre. Bon sang, je n'avais pas fait ce voyage pour revivre tout ça !

Je regardais mon oncle, le regard absent, tassé dans son fauteuil. Je me levai et sortis de la chambre. Dans le couloir, j'entendis une musique. En suivant le son, j'arrivai au night-club de l'hôtel. Sur une petite scène, une fille chantait.

Jolie, vêtue d'un sarong coloré, noué de façon délicate à sa taille, je décidai qu'elle était balinaise. Je m'assis à une table, près d'elle. Nos regards se croisèrent et elle me sourit, tout en chantant.

La chanson terminée, je remerciais l'école Berlitz de Paris de m'avoir appris des rudiments d'anglais. Je demandai si la danseuse accepterait de boire un verre avec moi. Le serveur revint me dire qu'elle ne buvait pas avec les clients, mais si je le souhaitais, après...

Le lendemain, au petit déjeuner, Nachman paraissait réservé, tendu.

Moi, au contraire, j'étais plus communicatif. Cette

brève aventure avait constitué un intermède salutaire avec mon passé et me permettait d'être moins crispé devant l'extraordinaire sensibilité de cet homme aux traits décidés.

Il s'était déplacé de Melbourne à Singapour pour entendre, une fois pour toutes, le récit complet de ce qui s'était passé. Ma grand-mère était sa mère, ma mère était sa sœur. Au fond, il avait droit qu'on lui racontât avec patience et tolérance ces événements si douloureux pour lui aussi. Je me prêtai à ce récit une fois pour toutes.

**

En Australie, je fus accueilli par l'autre frère de ma mère, Lazare, qui avait émigré de Bialystok à Paris pour poursuivre ses études lorsque je n'étais âgé que d'un an.

Champion d'Australie aux échecs, Lazare possédait le regard le plus pétillant et le plus aigu que j'aie jamais rencontré.

Les deux frères, c'était sans doute inévitable, invitèrent leurs parents, leurs amis, pour rencontrer le neveu qu'ils avaient arraché aux sinistres décombres de l'Europe. Mais au cours de ces interminables soirées, j'étais pris du sentiment intolérable d'être une bête curieuse.

Surtout, la vie était encore plus intimement familiale qu'avec Barbara et Léo. Beaucoup trop tran-

144

quille, à mon goût. Nachman voulait que je redevienne un véritable enfant et que je puisse revivre, à 17 ans révolus, cette période de la vie dont j'avais été privé.

*
* *

« Où est Ben ? demandai-je à mes oncles, au bout de quelques jours. Vous avez promis de le faire venir.

— Nous le ferons, répondit Lazare. Nous avons déjà fait émigrer, grâce à Barbara, Stachelberg, le vieillard qui avait pris ton identité à Bruxelles. Pourquoi ne ferions-nous pas la même chose pour Ben ?

En attendant, ils pensaient surtout qu'il serait temps, pour moi, de retourner à l'école.

« Je préférerais une moto.

— Écoute, me dit Nachman. Tu n'as pas regardé un seul livre depuis six ans ! Il faut voir ce que l'on peut encore faire maintenant. Nous avons pris un rendez-vous pour demain matin. »

Georges Taylor dirigeait une école réputée pour les enfants à la scolarité difficile. L'homme, âgé d'une cinquantaine d'années, dégageait une impression de grande intelligence. Il m'examinait, intrigué. J'étais assis entre mes oncles qui lui faisaient le récit de ma vie.

« Nous savons qu'il n'est pas vraiment récupérable, mais nous avons un devoir sacré. Ce qu'il y a encore de vivant en lui ne doit pas mourir. (Lazare avait conclu avec gravité :) Vous êtes un expert. Si vous pouviez lui donner un minimum d'éducation. »

Jusqu'ici, je n'avais jamais pensé que ma situation fût si désespérée. Georges Taylor nous regarda longuement tous les trois.

« Le cas est vraiment particulier, oui. »

Il marqua un silence, ses doigts tapotant la règle posée sur son bureau, puis il parut prendre une décision.

« Son drame me touche profondément. Si nous voulons tenter quelque chose, il faut d'abord commencer par lui apprendre un peu d'anglais. Comme il n'est pas question de l'intégrer à une classe, il aura un programme spécial. »

La rencontre se termina par des poignées de main vigoureuses. Mes oncles manifestaient une joie mêlée d'appréhension en contemplant le visage narquois de celui en qui ils plaçaient tant d'espoir.

Je débutai le jour suivant.

Miss Lockwood, le professeur qui m'était affecté, avait des apparences revêches. Mais je devais, rapidement, lui prouver ainsi qu'à mes oncles que je n'étais pas aussi attardé qu'ils semblaient le penser.

J'étais, envers cette femme sans âge, beaucoup plus discipliné, réceptif, que je ne l'aurais été envers un homme et je mettais à assimiler ces cours le même acharnement qu'autrefois à manipuler les gardiens du camp... ou à vendre notre café.

Miss Lockwood me faisait effectuer des tests pour mieux piquer ma curiosité. Au fil des séances, elle paraissait fascinée par mes réactions. Elle finit par demander à Taylor d'être déchargée de ses autres activités pour se consacrer uniquement à mon éducation.

Après six années de paralysie totale, sans la moindre imprégnation de l'esprit, c'était une prise de conscience qui, au fil des jours, se transformait pour moi en une évidence lumineuse : ma vie n'était qu'une impasse ; j'avais échappé, physiquement, c'est vrai, à Hitler, mais n'avait-il pas programmé ma destruction ? Jusqu'ici, je n'étais rien. C'est maintenant que la lutte commençait.

Georges Taylor n'envisageait pour moi, au mieux, qu'un anglais d'immigré au vocabulaire limité.

Au bout de quelques mois, je comprenais tout ce qu'il disait et, à la fin de l'année scolaire, j'avais maîtrisé la langue. Elle est devenue la mienne.

L'année suivante, je fus placé dans une classe

régulière en compagnie d'autres garçons australiens. J'assimilai alors l'histoire, la géographie, les
mathématiques. Rien ne pouvait plus m'arrêter.
Mon cerveau était comme une éponge assoiffée
sans limites.

Je m'étais fixé comme but d'apprendre, dans le laps
de temps le plus court possible, tout ce que j'aurais
dû acquérir par étapes depuis l'âge de douze ans, si
j'avais pu suivre des études. Il y avait presque du
fanatisme dans mon comportement. J'agissais
comme si ma vie était de nouveau en jeu, et mes
oncles commençaient à s'inquiéter de mon attitude,
si tendue, si acharnée.

Quand ils me proposaient d'aller au cinéma ou au
concert, je préférais m'enfoncer dans un fauteuil,
plongé dans la découverte de Dickens, apprenant
des strophes entières de Shakespeare ou du *Paradis
Perdu* de Milton.

Je prenais à part mon petit cousin de neuf ans, le fils
de Nachman : « Écoute, et corrige-moi quand je
prononce mal. »

Terrorisé par la dureté de ce parent d'une espèce un
peu particulière, le pauvre enfant levait de temps en
temps une main timide.

« Oui ?

— Juste une petite erreur de prononciation.

148

— Bon, quel mot ? »

Je le gardais, prisonnier, des heures. Un jour, il leva la main.

« Oui ?

— Je voudrais sortir pour aller jouer. »

Il était au bord des larmes.

« Bon, mais reviens demain à la même heure. »

De son côté, Lazare m'enseignait les mathématiques, l'algèbre, la géométrie, la physique et la chimie. Nous restions tard à travailler ensemble.

Un soir, il leva les yeux du texte d'algèbre et marqua une pause. « Quand tu es assis, comme ça, les yeux brillants, j'ai l'impression de revoir ma sœur. Elle avait la même soif d'apprendre. »

Ce fut la seule allusion qu'il fit jamais au passé en ma présence.

* * *

Ben arriva quelques mois plus tard. Accueilli et traité comme un membre de la famille, il fut soumis, lui aussi, au régime intensif Taylor-Lockwood. La greffe prit de façon différente. Ben était un esprit agile mais dont l'intérêt allait davantage aux activités techniques. Il entama très vite des études de mécanique et d'électricité.

Deux ans après mon arrivée en Australie, je terminais mes études secondaires et je quittais l'école avec le diplôme normal de fin de scolarité. J'avais dix-neuf ans. Je voulais devenir un scientifique.

Une seule chose assombrissait ma vie. Nico ne donnait plus de nouvelles. Ben et moi avions envoyé des télégrammes qui restaient sans réponse. Concernant Nico, les pires éventualités étaient envisageables. Peut-être avait-il été assassiné ou arrêté ? Je n'avais qu'une seule certitude : il n'avait pas interrompu volontairement nos relations. Je mis plusieurs mois à découvrir que mes oncles interceptaient notre correspondance. Ils étaient tombés par hasard sur quelques lettres de Nico et ils avaient été effrayés par le ton cynique et désinvolte des pages.

Préoccupés par ma rédemption, ils songeaient avec effroi que l'arrivée d'un tel personnage à mes côtés, en Australie, réduirait à néant tous leurs efforts.

Je restais, en outre, capable d'une imprévisible violence. Un jour, durant un cours de chimie, je fouille dans ma poche pour chercher un crayon et je trouve à la place une peau de banane. Sur le banc voisin, un garçon nommé Bill Downey sourit en mangeant une banane. Je le dévisage une fraction de seconde et lui lance un coup si brutal qu'il tombe à terre. Toute la classe est frappée de stupeur. Je

150

regarde, autour de moi, guettant un soutien. Les étudiants, le visage fermé, m'ignorent. Bill Downey me contemple, incrédule, comme si j'appartenais, par erreur, à une espèce primitive.

Le professeur a suivi la scène. Elle s'interrompt un instant. Puis elle enchaîne sans faire la moindre remarque.

J'étais vexé, mal à l'aise, ne cessant de me dire : « Pisar, tu es fou. Tu as réagi comme si ce type voulait t'assassiner. Si tu veux mener une existence normale, tu dois te civiliser. Plus de réflexes incohérents. »

Au total, l'Australie fut miraculeuse. Ce pays était encore plus rigoureusement qu'en Angleterre la patrie du fair-play, de « ce qui doit être fait » et de « ce qui ne se fait pas ».

Les athlètes australiens dominaient, d'ailleurs, le sport mondial dans des disciplines aussi variées que la natation, le tennis ou les courses de demi-fond. Des hommes comme Junior Foster, nageur olympique, John Landy, recordman du monde du mile, le tennisman Neal Fraser, devinrent mes amis. Ils constituaient, pour moi, une révélation.

Je découvrais, par eux, avec stupéfaction, que la lutte pouvait être acharnée tout en restant digne, loyale — pas un combat de la vie à la mort.

Melbourne était l'opposé absolu d'Auschwitz.

J'étais ravi d'apprendre ces manières, et il me semblait que le sens de la mesure, et des nuances, que j'étais en train d'acquérir, traduisait mon passage de la jungle à l'univers civilisé.

Les sciences me charmaient, mais, au fond, je ne me sentais pas le tempérament d'un chercheur. Le droit, le barreau, me paraissaient finalement offrir une voie plus séduisante.

Pour moi, qui n'avais vécu que dans l'arbitraire le plus absolu, la loi britannique constituait le reflet d'une société cohérente, juste, solidaire.

A travers l'habeas corpus, les tribunaux, les jurés, les procédures scrupuleuses, je découvrais le prix infini qui pouvait s'attacher à la vie et à la liberté d'un homme.

La tension qui accompagna la création de l'État d'Israël en 1948 désorganisa nos vies à Ben et à moi. La menace puis l'attaque des armées arabes qui encerclaient cette minuscule bande de terre, refuge d'un grand nombre de survivants des camps de la mort, nous incita à agir.

Nous n'éprouvions pas de haine envers les Arabes mais nous estimions que, pour nous, il n'y avait pas d'alternative : il fallait aller se battre et, si néces-saire, accepter de mourir avec nos anciens cama-rades.

Nous prîmes contact avec un groupe clandestin qui

152

se proposa de nous entraîner, ainsi que d'autres jeunes, puis de nous envoyer en Palestine. Après quelques semaines de maniement d'armes dans les maquis australiens, une science qui ne nous était pas étrangère, notre projet fut interrompu par l'armistice. Mais cette menace d'un nouveau génocide nous rappela la cruelle leçon de l'histoire du peuple juif : nous étions tous unis par le même lien de souffrance à travers le temps et l'espace et nous étions condamnés à rester vigilants, partout et toujours, pour notre survie.

*
* *

Au début de l'année 1949, j'étais plein de grands projets. Je songeais à mon inscription, la saison prochaine, à l'École de Droit, à ces vacances où je ferais du tennis, de la natation, des voyages avec mes amis. Soudain tout s'effondra

Je fus pris, un matin, de violentes douleurs à la poitrine et au ventre.

Le médecin diagnostiqua une appendicite aiguë. Je fus opéré. Mais, quelques jours plus tard, les mêmes symptômes. Je passe des radios. Le verdict tombe, accablant : la tuberculose.

A l'époque, il s'agissait encore souvent d'une maladie fatale, pour laquelle n'existait aucun remède efficace.

153

Pour la première fois, j'ai l'impression d'avoir raté le « tri ». Tout chavire.

J'ai l'impression de vivre la fin d'un rêve, j'oscille entre la révolte et l'accablement. Ainsi tous ces efforts n'auraient servi à rien ?... Le Knopflochmachinist est vaincu, impuissant et prêt à lâcher.

Si je devais donc mourir, pourquoi cet adversaire imprévu ne s'est-il pas révélé plus tôt, avant la découverte de l'Australie qui m'a redonné goût à une nouvelle vie ? Au mieux, je vais être condamné à une existence d'handicapé.

Mes oncles consultent un grand spécialiste, sir Wilberforce Newton. Nachman suggère que je reste à la maison.

« Impossible, répond sir Wilberforce. C'est une maladie terriblement contagieuse. Vous avez deux enfants, vous ne pouvez pas imposer ce risque à votre famille. »

Nachman insiste : « Eh bien, nous l'installerons dans une chambre isolée ; la maison est grande, et il y a un jardin. »

Le médecin l'interrompt : « C'est comme si vous demandiez à un homme d'effectuer son service militaire par correspondance. »

Lazare, qui est un personnage réservé, s'adresse au docteur avec gravité ·

154

« Écoutez, il redécouvre une vie normale, il est libre. Vous comprenez ce que ceci peut signifier pour lui : il est libre ! »

Lazare parle, emporté par l'émotion :

« Docteur, ce garçon était mort, en arrivant ici. Aujourd'hui, il revit. C'est un miracle. Si vous le placez dans un sanatorium, vous le privez de cette fraîche, et fragile, liberté. Son psychisme ne le supportera pas ! »

Sir Wilberforce Newton fut ébranlé. Résigné, il haussa les épaules :

« Bon ! Essayons. »

Ma longue, mon interminable convalescence se déroula dans une chambre spacieuse et ensoleillée, aux murs de verre, que mes oncles avaient fait construire spécialement.

L'immobilité forcée m'imposait une réflexion plus approfondie et plus exigeante que celle à laquelle je m'étais livré jusqu'ici. Je me plongeais complètement dans la seule activité autorisée : la lecture.

J'avais trouvé dans la bibliothèque de Nachman une histoire de la littérature mondiale, que j'avais lue en totalité, et annotée. Ensuite, méthodiquement, j'avais sélectionné les ouvrages anglais, russes, allemands, français, qui me paraissaient les plus importants. Ce fut une métamorphose. Retranché de la vie, je continuais pourtant d'en éprouver tous les sentiments exacerbés encore par l'immobilité et les médicaments. J'étais envoûté par Anna Karénine, fasciné par le jeune Werther, amoureux de la Sanseverina, fraternel avec Julien Sorel... J'apercevais les contours d'un autre univers, qui n'était plus seulement physique.

Je découvrais aussi, par la littérature, que la réussite ne signifiait pas nécessairement le bonheur et qu'un échec ne condamnait pas au désespoir. Tout était plus nuancé, voire paradoxal. Les mystères de l'âme humaine, les pièges et les splendeurs de la vie...

Je vivais, là, avec des géants : Tolstoï, Balzac, Schiller, Conrad, Dostoïevski.

Des résonances extraordinaires se déclenchaient. Le Stavroguine des *Possédés,* je l'avais connu ! C'était le Dr Mengele à Auschwitz, l'ange de la mort. J'avais aussi rencontré Michkine, l'idiot, ce dieu martyr, qui composait les cortèges de « musulmans », de suppliciés, etc.

Dans la littérature germanique, je m'interrogeais sur les ressorts de l'âme allemande, capable de tant de lyrisme mais aussi des pires dérèglements.

Obéissant scrupuleusement aux ordres du médecin, j'éteignais chaque soir, à 9 heures, la lumière de ma

156

chambre. Mais mon imagination continuait de vaga-
bonder.

J'étais presque reconnaissant à la maladie pour la
trêve qu'elle m'imposait dans cette course contre la
montre que j'avais engagée avec moi-même.

Mais, avant tout, je voulais guérir. Progressivement, je pus reprendre une vie normale et continuer mes études à l'université de Melbourne.

Deuxième partie

Les chaos d'aujourd'hui

8

Rachel, l'épouse de Nachman, me réveilla, affolée, au milieu de la nuit. Quand j'arrivai au chevet de mon oncle, il était déjà inconscient, victime d'une crise cardiaque.

En quelques instants, Nachman mourut dans mes bras. Il n'était âgé que de quarante-huit ans.

En le regardant, je réalisai, soudain, avec une brutale tristesse, que nous n'avions jamais repris la conversation engagée, en tête à tête, à Singapour. Nos rapports étaient restés affectueux mais pudiques, silencieux.

Sa mort provoqua chez moi un profond désarroi. Dans mon acharnement à étudier, j'avais tout simplement oublié de le connaître...

159

Et puis je retrouvais ma révolte intérieure : encore une fois le peu qui restait de ma famille était frappé par le malheur. Encore, et toujours ?

J'étais prêt à abandonner mes études et à quitter l'université pour prendre la responsabilité de cette famille décapitée.

Lazare s'y opposa, catégoriquement : « C'est vrai que Nachman t'a ressuscité, physiquement et moralement. Maintenant il faut que tu continues. Tu feras plus, pour nous tous, en allant jusqu'au bout de ta formation. Tu as un rôle à jouer. Continue. »

Son langage rencontrait, en moi, des échos encore sourds mais très profonds, parfois violents. L'Australie représentait une halte, un miracle, mais je ne devais pas émousser mon instinct de lutte, ni admettre que la vie puisse être partout comme ici, calme et confortable. Ce n'était pas vrai.

J'avais survécu pour mener une autre existence. Ma vie ne m'appartenait pas vraiment. Elle resterait, pour toujours, enracinée dans les tragédies du passé. C'est à partir de là qu'elle prendrait sa trajectoire et son sens.

Mes amis, à l'université de Melbourne, étaient des garçons de mon âge, mais mes vrais interlocuteurs étaient leurs pères. A vingt ans, j'en avais, en réalité, cinquante.

160

George Bernard Shaw avait eu cette formule :
« Quelle merveille que la jeunesse ; dommage
qu'elle soit déposée entre des mains si inexpérimen-
tées. » Ce problème, pour moi, s'était résolu de lui-
même.

Alors que je me rétablissais, progressivement, de
ma tuberculose, je rencontrais fréquemment un
voisin, sir Robert Menzies, plusieurs fois Premier
ministre, l'homme politique le plus populaire du
pays. Nous nous promenions ensemble, le soir
après dîner, jusqu'au parc Kew, au bout de la ville.

Robert Menzies était, à l'époque, en 1950, le leader
de l'opposition.

Je m'amusais : je quittais ma famille, où l'on parlait
anglais avec l'accent yiddish, pour retrouver Menzies, à l'accent d'Oxford si frappant. Le grand
homme ne devinait certainement pas que l'adolescent qui l'écoutait, avec tant d'avidité, était fasciné
par son élocution, au moins autant que par ses
idées.

Lorsque je sortis de l'université, j'avais tous les
diplômes, mais aucun enthousiasme pour les carrières qu'ils ouvraient. Sir Zelman Cowen, mon men-
tor et mon professeur de droit constitutionnel —
devenu, depuis, chef de l'État australien — venait
d'être invité à enseigner durant une année aux
États-Unis. Il souhaitait que je poursuive mes
études là-bas. Dès son arrivée en Amérique, en
1953, il avait engagé toutes les démarches pour que

161

j'obtienne une bourse qui me permettrait de suivre les cours de droit international à Harvard. Le superviseur de mes études serait le professeur Harold Berman qui enseignait aussi à l'influent institut d'études russes de l'université.

Harvard! déjà le nom le plus prestigieux de tout l'univers intellectuel. Harvard, dans mon esprit, brillait de tous les feux de la civilisation moderne.

***

En débarquant aux États-Unis, je découvre à quel point l'Australie était un monde lointain, préservé, à l'écart des tensions, qui, dix ans à peine après une guerre affreuse, étreignaient déjà l'univers. Harvard est une forteresse assiégée.

L'hystérie néo-fasciste du mac-carthysme est à son comble. La chasse aux sorcières, sous tous les prétextes, pour toute opinion non conformiste, secoue l'Amérique. Communistes et libéraux sont traqués. Le monde universitaire est devenu la cible préférée des croisés de « la guerre froide ».

Les drames humains engendrés par les conflits idéologiques exacerbés me frappent de nouveau par leur ampleur : délations, carrières brisées, le poison de la peur.

L'accusation retentissante « qui nous a fait perdre

la Chine ? » était encore un des éléments du débat politique américain, cinq ans après la prise du pouvoir par Mao.

Je n'oublierai jamais l'émotion avec laquelle mon vieux et prestigieux professeur de droit public, Zachariah Chaffee, martela, en plein cours, son pupitre, s'écriant à propos d'Alger Hiss : « Ce garçon, je vous le jure, est innocent ! »

Alger Hiss, sorti de Harvard, brillant élève de droit, était devenu fonctionnaire au département d'État. Il était accusé de faux témoignage et de divulgation de documents officiels à l'espionnage soviétique.

Je ne sais toujours pas si Hiss était innocent ou coupable, mais son cas constituait à l'époque un drame politique national qui se déroulait dans le même climat de psychose que celui qui aboutit à l'exécution capitale des époux Rosenberg.

Il avait servi de révélateur à un déferlement de paranoïa et de haine sur cette terre d'Amérique jusqu'ici préservée.

Sa mise en accusation avait lancé dans l'arène un jeune avocat d'extrême-droite, devenu député, aussi ambitieux qu'inconnu : Richard Nixon. Rien ne l'arrêtera plus... jusqu'au sommet, puis jusqu'à sa chute, vingt ans plus tard.

Les Américains, les hommes de l'étoile blanche sur le char de ma libération, étaient pour moi un peuple béni des dieux. J'avais contemplé, les larmes aux yeux, la statue de la Liberté, quand le *Queen Elizabeth* entra dans le port de New York.

Et maintenant, devant moi, ce pays magique se précipitait, à son tour, dans une course au mensonge et à la peur, comme nos pauvres pays, suicidaires, de la vieille Europe, avant la guerre! J'étais désemparé.

Je devais découvrir que la vraie démocratie n'était, ne serait nulle part, un état d'équilibre et de sérénité permanents, mais sans doute le seul système capable de finir par maîtriser les crises et les menaces, même extrêmes. L'Amérique portait en elle-même les germes de sa propre guérison, de sa régénération. Et je vis en effet ce prodigieux travail se faire.

La presse, la classe politique, les intellectuels restaient marqués par des réflexes profondément sains.

Et, finalement, du jour au lendemain, Joseph Mac Carthy, le tout-puissant inquisiteur qui faisait régner sur l'Amérique un climat de purge et de panique, bascula dans le silence et l'oubli, sur un vote de ses pairs au Sénat.

***

Ma situation financière n'est guère brillante. Je dispose d'une bourse de 1 200 dollars pour couvrir toutes mes dépenses de l'année. Juste de quoi vivoter.

Je vis mal, de façon précaire, je mange peu. J'en arriverai presque à m'apitoyer sur moi-même. Quelle faculté d'oubli...

Je tente de garder la tête hors de l'eau. Harvard exige la perfection. Un étudiant sur dix mille y est admis. J'y suis. Mais stupéfait par l'âpreté de la compétition.

A l'université de Melbourne, le code d'honneur qui régnait parmi les étudiants m'enchantait. Par exemple, si un étudiant interrogé ne pouvait répondre au professeur, ses camarades, pour ne pas l'embarrasser, prétendaient qu'ils ne connaissaient pas non plus la réponse à la question. Quelle élégance dans le comportement! Avec candeur, il me semblait alors que le reste du monde ne pouvait pas être régi par autre chose que ces règles.

Je découvre que j'ai commis une grande erreur de jugement. Si le monde réel n'est pas le sadisme dantesque d'Auschwitz, il n'est pas non plus l'univers moral et fair-play de Melbourne. J'entrevois, pour la première fois, une réalité plus mouvante, infiniment complexe. Elle ne cessera plus, pour moi, de l'être toujours davantage.

Les principes américains d'enseignement, qui commencent à s'étendre au reste du monde occidental, me déroutent. Élevé en Australie dans le respect du savoir, je reste sans voix devant le spectacle de professeurs, interrompus, harcelés par leurs étudiants, obligés de discuter, pied à pied, avec eux. La démocratie, dans toute sa force volcanique, libérée, régénérée par la lutte avec Hitler, et par la victoire.

Les plus hautes personnalités de la vie économique et politique, les présidents des plus grandes sociétés, les juges de la Cour suprême, les ministres, les leaders des plus grands syndicats ouvriers venaient prendre la parole devant les élèves.

Souvent, ils doivent se défendre contre les critiques tourbillonnantes, inépuisables, impitoyables, qui montent de la salle. Je suis fasciné par ces confrontations où la fougue de la jeunesse, sans aucun complexe, affronte les autorités établies, et leurs vérités officielles. Ce manque de « respect » me paraît immédiatement ce qu'il est : extrêmement sain, et il provoque chez moi une véritable jubilation.

Il reste que la concurrence entre élèves, est, elle aussi, impitoyable et, encore une fois, depuis que je m'étais retrouvé seul au monde, obligé de courir sous les coups des SS jusqu'aux wagons, je doute de pouvoir m'en sortir.

Psychologiquement, mentalement, j'ai été forgé pour survivre à Auschwitz, mais non pour exister à Harvard ; il s'agit de tout autre chose.

Les réflexes, les comportements, toute cette muscu-

166

lature que j'ai développée dans les camps de la mort, sont à l'opposé de ceux qu'il me faudrait pour réussir ici. Plus question de puiser dans mon arsenal d'astuces, dans ma capacité d'endurance physique. Ils sont tout à fait inadaptés ici.

En vérité, pour passer d'un monde de réflexe animal à l'univers de la pure réflexion intellectuelle, aussi aiguë et fine que possible, il faut que j'arrive à détruire en moi les dix-sept premières années de mon existence. L'homme que j'étais et celui que j'aspire à être ne peuvent pas cohabiter.

Pour cette autre lutte, cerveau contre cerveau, idées contre idées, je dois me réinventer.

Alors, peu à peu, je découvre que progresser, vouloir atteindre des buts chaque fois plus élevés, constitue la seule démarche qui puisse enrichir une vie, lui donner son sens.

Je passe mes nuits à veiller, enfermé dans le deuxième sous-sol de la bibliothèque. J'accomplis des recherches minutieuses et captivantes. Il existe donc un « travail qui libère l'homme » ! L'horizon, pour moi, n'a plus de limites.

A l'approche de Noël, le campus est déserté par les étudiants. Je vais me retrouver seul, quand je reçois une lettre manuscrite du Pr Paul Freund, le doyen des études supérieures. « Mon cher Pisar, écrit-il, examinant en détail mon budget, je trouve un excédent inexplicable de quelques centaines de dollars. Peut-être pourrez-vous utiliser cette somme ; aussi je vous joins un chèque ainsi que deux places pour le match de hockey sur glace. »

Ce petit miracle d'élégance règle tous mes problèmes immédiats.

*
* *

Je partageais ma chambre avec un étudiant brésilien, aujourd'hui avocat à Rio. Les langues et les races les plus diverses se côtoyaient, contribuant à faire de l'université un creuset multinational. Les très nombreux étudiants étrangers provenaient particulièrement de pays sous-développés. Ces jeunes gens allaient devenir l'élite dirigeante, les leaders de leur pays. En les aidant, avec beaucoup de générosité et d'attention, à poursuivre leurs études ici, les États-Unis comptaient bien en retirer dans l'avenir des avantages politiques.

J'avais vécu sous le communisme et sous le nazisme. Je me sentais, certes, totalement immunisé contre toute propagande d'où qu'elle vienne. Mais une nation qui « endoctrinait » des étrangers en les installant dans ses meilleures universités, en acceptant, avec liberté, et aisance, leurs critiques les plus dures, pratiquait une forme de conditionnement si candide que j'en restais rêveur.

Je terminai l'année à Harvard avec plusieurs prix et, surtout, une bourse de trois mille dollars pour préparer l'équivalent de l'agrégation.

J'étais riche. Et moi, ancien « Untermensch », matricule couleur de terre, je vais pouvoir contribuer à remodeler le monde !

Toutes les décisions essentielles étaient prises à Washington. A Harvard, un groupe de jeunes intellectuels auquel j'appartenais manifestait la conviction absolue d'être capables d'élaborer pour l'avenir du monde des politiques très supérieures à celles qui aboutirent, dans l'Europe, égoïste et aveugle, à une série de guerres sanglantes.

Bon nombre d'entre eux venaient d'autres pays : le jeune Henry Kissinger, par exemple, profondément marqué par sa découverte, encore enfant, du nazisme, dans son pays natal.

Il animait déjà un séminaire réputé auquel participaient des hommes comme Bulent Ecevit, aujourd'hui Premier ministre de Turquie, et il préparait son livre devenu célèbre : *Un monde préservé.*

Il y avait Zbigniew Brzezinski, aujourd'hui principal conseiller de politique étrangère du président Carter, qui avait assisté, dans de meilleures conditions que moi, à la destruction de sa Pologne. Il avait disséqué l'idéologie stalinienne avec soin. Mais je n'arrivais pas à être d'accord avec lui sur ses théories qui aboutissaient à soutenir la politique de guerre froide suivie par le secrétaire d'État, John Foster Dulles.

169

D'autres personnages fascinants encore. Comme cet ami doux, réservé, travailleur, généreux, qui nous décrivait un avenir où serait enfin rendu justice aux masses déshéritées du Tiers Monde. Il évoquait souvent le drame des plus pauvres et voulait que son action future soit consacrée à leur venir en aide. C'était Zaki Yamani, aujourd'hui tout-puissant ministre du pétrole de l'Arabie Saoudite. J'ai pu vérifier souvent à quel point il est devenu un manager moderne et réaliste et un négociateur habile.

Ainsi, dans cette merveille qu'était Harvard, je pouvais non seulement étudier les idées des hommes qui dirigeaient ou allaient diriger le monde, mais aussi les rencontrer.

Il existait, en plus, dans ce microcosme de l'univers intellectuel, un climat de discrétion qui me semblait la garantie d'un anonymat sans faille contre toute découverte de mon passé. Non pas que j'en sois embarrassé, mais les tragédies que j'avais vécues devaient rester enterrées. Je ne voulais à aucun prix que ce passé ne serve de référence pour m'évaluer.

Un jour, je disputais une partie de ping-pong avec un étudiant allemand, dans la salle de sport. Entre deux échanges, machinalement, je remonte mes manches.

Je sers. Mais mon adversaire laisse passer la balle, sans un geste.

170

Pâle, décontenancé, il fixe le matricule tatoué sur mon bras nu.

Je reboutonne brutalement ma manche.

« Allons, joue !

— Comment, toi ? Je ne savais pas que...

— N'y pense plus. Continuons la partie. A moi de servir. »

Naufragé, il n'arrive pas à surmonter le choc :

« Mais tes parents, ta famille ? »

Je réponds sèchement :

« Tous morts. Tu n'as donc jamais rien lu là-dessus ?

— Si bien sûr, mais c'est différent. On ne peut pas vraiment comprendre, imaginer... combien de temps es-tu resté ?

— Quatre ans.

— Mais alors, comment as-tu fait pour être ici, aujourd'hui parmi nous ?

— Laisse tomber ! Tout cela est fini. »

J'accentue, malgré moi, son désarroi. Il me faudra

une semaine pour lui faire admettre, pas à pas, que nous sommes ici pour édifier un avenir et non pour rouvrir les plaies du passé.

Mon « cas » suscitait aussi des réactions infiniment moins dramatiques. Il passionnait, par exemple, Clyde Kluckhohn, un célèbre anthropologue de Harvard. Après de longues conversations, il conclut que j'eus la chance de me trouver dans les camps, à un âge intermédiaire. Selon lui, j'avais vécu ces épreuves avec une colonne vertébrale morale, intellectuelle, qui n'était pas encore vraiment soudée, fixée. Cela m'avait conféré une souplesse, une adaptabilité exceptionnelles qui me permirent d'éviter d'être brisé, comme tant de mes compagnons, plus jeunes ou plus âgés. Pour lui, j'étais un cobaye fascinant.

Il me pressait d'interrogations :

« Sam, laissez-moi vous poser une question. Quelle est votre langue maternelle ? »

J'éclatais de rire :

« Mais je n'en ai pas ! »

Il paraissait perplexe.

« Écoutez, quelle est la langue qui vous vient instinctivement aux lèvres, quand vous vous abandonnez ?

172

Par exemple, lorsque vous rêvez... ou lorsque vous faites l'amour ?

— Oh, un cocktail ! Je pense en anglais, je fais l'amour en français, je me lamente en yiddish, je jure en allemand, je chante en russe, je pleure en polonais, et je prie en hébreu. »

Kluckhohn paraissait accablé.

« Sérieusement, est-ce que je peux conclure que le langage de votre système nerveux est instinctivement différent de votre langue maternelle ? »

Je le regardais avec amusement :

« Je ne sais si vous vous destinez à faire une communication sur mon cas à l'Académie des Sciences, mais votre conclusion n'est pas inexacte... »

Pour ma thèse de doctorat, je choisis un sujet qui était, dans le climat politique de l'époque, totalement dépourvu de réalisme et d'application. Elle portait sur les aspects juridiques des échanges Est-Ouest. Mon sentiment que les deux blocs antagonistes pourraient coexister et coopérer reposait d'abord sur un instinct. Je devais ma survie aux Russes autant qu'aux Américains : si l'effort militaire de ces deux alliés n'avait pas hâté la défaite de l'Allemagne, je n'aurais pu être libéré. Je ne pouvais pas dissocier mes analyses de mon expérience. J'en avais retiré la conviction fondamentale

173

que les relations entre ces deux puissances seraient décisives pour l'avenir et la paix du monde.

Cette thèse reçut, en 1956, le prix Addison Brown et, honneur exceptionnel, fut publiée en deux parties de cent pages chacune par la prestigieuse *Harvard Law Review*.

Je n'en revenais pas. Je considérais mon sujet comme beaucoup trop éloigné des préoccupations politiques de l'époque pour susciter une grande attention. Mon travail qui constituait l'article principal était suivi d'une communication du juge Irving Kaufman, l'homme qui avait condamné les époux Rosenberg ; puis, dans l'autre numéro, d'Archibald Cox, admirable conscience, qui sera le procureur général dans l'affaire du Watergate.

Je reçois des propositions de plusieurs universités importantes pour y être professeur. Mais ma génération est emportée par une vague d'idéalisme et de confiance dans le nouvel ordre international ; il est donc naturel pour moi que j'oriente ma carrière vers l'ONU, symbole et creuset de cet avenir.

Je suis sûr que nous allons édifier, là-bas, ensemble, un monde rationnel, jalonné de garanties et de principes sur les droits fondamentaux de l'homme.

Toute une série d'organismes efficaces et généreux — la FAO, l'OMS, le BIT — caractérisent déjà cette interdépendance universelle.

En 1956, après avoir effectué un stage aux Nations unies à New York, je suis nommé conseiller juridique au cabinet du directeur général de l'UNESCO à Paris.

Mes amis qui m'ont entouré, si gentiment et si gaiement, dans le tourbillon de la vie américaine, veulent me dissuader d'accepter ce poste.

« Devenez avocat à New York. Imaginez ce que vous rapporterait une telle activité. Pourquoi vous imposer une existence austère, dans une ville si lointaine ? N'avez-vous pas assez lutté ? »

Mais j'ai de mon futur travail à l'UNESCO une vue quasi mystique. L'éducation, la science, la culture, et leur application dans les zones déshéritées du monde, me semblent constituer le fondement de toute accession à la dignité humaine.

A Paris, mon existence m'apparaît, bien vite, remplie, justifiée et séduisante.

Les forums internationaux, auxquels je participe, retentissent de propositions audacieuses. Dans ces babels colorés, chatoyants, où les Occidentaux côtoient les premiers représentants du Tiers Monde naissant, les amitiés se nouent, les grands principes s'élaborent.

Je me donne complètement à cet idéal. Bien sûr, l'organisation se révèle lente, lourde, passive même, mais il me semble qu'il s'agit de difficultés

175

naturelles, d'ajustements entre la réalité et l'idéal, et que tout finira par s'harmoniser.

* *
*

Ma nouvelle situation me permet aussi de réaliser un projet essentiel : retrouver Nico, lui qui, à Auschwitz, puis à Landsberg avait été, avec Ben, plus qu'un ami, plus qu'un frère. Sa silhouette narquoise et désinvolte, son énergie peu commune sont des souvenirs qui remontent à plus de dix années ; j'ai peut-être maintenant la possibilité de le revoir.

J'ai l'impression, en tentant de renouer ces liens rompus par le temps, de retrouver une certaine unité de mémoire, et d'identité. Je veux rester fidèle à mon passé.

Je demande, par voie diplomatique, au gouvernement hollandais de mener une enquête pour obtenir le lieu de résidence de Nico. Huit jours plus tard, on me communique une adresse à Amsterdam qui, après vérification des autorités néerlandaises, est celle « du domicile de M. Nathan Waterman ».

J'éprouve un choc curieux en lisant pour la première fois le nom complet de Nico. Il me semble comme étranger. Et cette précision d'état civil me fait entrevoir une réalité : tout est rentré dans l'ordre.

Nico est un personnage démobilisé pour cause de calme et de prospérité... Nico ?

Je prends l'avion pour Amsterdam. L'adresse me conduit dans le quartier le plus déshérité du port. De vieux immeubles, tristes, sales, à la façade délavée, derrière lesquels on imagine très bien le rude travail, auquel contraint la pauvreté.

Je grimpe un escalier sombre, en ciment, à la rampe branlante. Je frappe à la porte de l'appartement qui devrait être celui de Nico. Une jeune fille ouvre, elle paraît surprise :

« Monsieur Waterman est-il là ? »

Elle secoue la tête.

« Ah non, à cette heure-ci, il est au travail ! »

Elle me communique l'adresse et m'apprend qu'elle est sa fille, âgée de vingt-deux ans, mariée à un marin.

Les renseignements qu'elle m'a donnés me conduisent à travers des ruelles sales, bordées par les façades lépreuses de petits commerces. Nico ici ?

Non, ce n'est pas possible. Je me dis que, dans quelques minutes, je vais m'apercevoir qu'il s'agit encore d'une de ces blagues dont il avait le secret. Il ne peut pas être un ange déchu.

Je vérifie à plusieurs reprises le numéro. Je suis devant la vitrine miteuse d'une petite épicerie kaschère. Le magasin est étroit, plongé dans la pénombre.

L'homme que je recherche, mon héros, à l'énergie indomptable et à la vitalité prodigieuse, il est là !

A travers la vitre sale, je l'aperçois nettement. L'Humphrey Bogart, vêtu autrefois avec élégance et recherche de son pardessus bleu et d'une écharpe blanche est à côté du comptoir, en train de couper quelques tranches de saucisson pour une clientèle qui fait la queue, pitoyable.

Mes pensées s'entrechoquent. C'est imbécile, grotesque ! Nico avait si bien gagné sa survie ! Il est impossible qu'il soit venu échouer là, pour de nouveau devenir un mort vivant.

Je m'approche. Il n'a pratiquement pas changé. Ses gestes sont toujours vifs, précis ; même s'ils servent aujourd'hui à enrouler dans du papier journal les modestes achats de ménagères des quartiers déshérités.

Je pousse la porte du magasin. Une odeur rance me saisit. Nico lève la tête. Il me dévisage. Par mon allure, je ne peux être un acheteur. Puis, sur un ton encore incrédule, il lance :

« Mula ? »

Je hoche la tête, ému, sans voix.

Nous nous embrassons longuement. Il semble avoir oublié ses clients qui, muets et perplexes, assistent à nos retrouvailles. Il me détaille en riant. Son regard s'arrête sur mon pardessus, mon costume de bonne coupe.

« Eh ! dis donc, crapule, les choses ne vont pas mal pour toi ! Qu'est-ce que tu fais ?

— Je travaille pour les Nations unies. »

Il semble faire un effort de mémoire.

« Ah oui, ce truc pour les réfugiés qui nous a fait sortir de prison à Landsberg ? »

Je souris, mais sa réflexion m'a atteint : je ressens, à cet instant, combien Nico est un homme du passé. Il n'a ni vu ni perçu l'évolution de l'après-guerre. Face à des mutations qu'il ne comprenait pas, il s'est tassé, indifférent.

« Viens, je t'emmène. »

Il sursaute.

« Tu rigoles, et mon patron ?

— Laisse, je m'en occupe. »

Cinq minutes après, nous sortions. J'avais obtenu,

pour mon ancien héros, une trêve dans sa confrontation avec le quotidien. Nous marchons le long des canaux. J'ai passé mon bras autour de son cou. Nico, mon Nico, m'apparaît fragile, vulnérable.

« Tu te souviens ? »

Impossible de savoir qui l'a dit le premier... Aussitôt, les souvenirs se bousculent, resurgissent en cascade, ponctués d'éclats de rire. Anecdotes oubliées, détails enfouis, tout notre passé — sauf l'horreur.

Je l'emmène dîner dans un restaurant réputé. Avant de s'y rendre, il a insisté pour passer chez lui se changer.

L'intérieur est minable. Pour lui, tout va mal, et il sent que je le constate. Mais il est toujours aussi fier. Son comportement interdit qu'on ait la moindre pitié de lui.

Au restaurant, il me questionne de nouveau :

« Dis-moi encore, comment va Ben ?

— Ben Kaufman est devenu un homme d'affaires prospère à Melbourne.

— Sans blague ! Alors, je vous ai pas mal dressé avec le Bohnen Café. Et comment se fait-il que tu parles si bien l'anglais ? »

Je lui raconte mon long périple. Il m'écoute, attendri.

« D'ailleurs, lui dis-je, tu devrais partir pour l'Australie. Je pourrais m'occuper des autorisations nécessaires. »

Il hausse les épaules.

« Penses-tu ! Et puis, de toute façon, Mula, tu perdrais ton temps.

— Mais laisse-moi essayer. »

Il sourit.

« Si tu veux, pourquoi pas ? »

Plus tard, je l'emmène à Paris. Il passe dix jours chez moi. J'entreprends les démarches pour lui obtenir un visa d'immigration. La première réponse est un refus laconique. J'insiste. Je reçois une lettre de l'ambassade australienne. En termes mesurés, elle m'explique que « les problèmes posés par la complexité du casier judiciaire de M. Waterman ne permettent pas de retenir sa candidature ».

Nico, entre-temps, est reparti pour Amsterdam. Il accueille la nouvelle avec flegme. Il a repris son activité dans l'épicerie.

Neuf mois plus tard, il meurt, seul, dans sa chambre, d'une crise cardiaque. A quarante-huit ans.

J'imagine qu'au cours de ses dernières années, on pouvait sourire en voyant ce personnage aux vêtements usés et mal coupés. Mais croire que Nico était devenu un raté, c'était passer rigoureusement à côté de l'essentiel.

La plupart des gens sont formés pour évoluer dans des périodes normales, sereines, emplies de certitudes. Et là, ils peuvent faire illusion et même passer pour de grands hommes. Mais en cas de crise véritable combien d'individus aujourd'hui superbes s'effondreraient comme des pauvres types.

Nico n'était conçu que pour les périodes de détresse. Il lui fallait un défi à relever, un environnement sans règles ni limites et alors il puisait dans toutes ses ressources. Un héros authentique.

Revenu aux limites étroites, aux règles strictes, il s'était étiolé, convaincu qu'il n'avait plus de raison de vivre puisqu'il ne s'agissait plus de survivre.

*
* *

La tristesse que fut pour moi la nouvelle de la mort de Nico coïncida avec un profond désenchantement dans mon travail.

Je venais d'accomplir un tour du monde pour le compte de l'UNESCO, mais je constatais qu'en réalité une bureaucratie pesante absorbait toute mon énergie, et que les résultats concrets devenaient de plus en plus minces.

182

En peu de temps, les carences de l'idéal avaient déchiré nos rêves et nos ambitions. Partout, au sein des grandes organisations internationales, l'opportunisme et l'indifférence avaient balayé, momentanément au moins, tout espoir de réforme.

Poursuivre, à vingt-huit ans, une carrière de bureaucrate ne pouvait avoir qu'un effet stérilisant. Si cette vie, qui m'avait été conservée par tant de miracles, devait trouver son sens, il fallait rompre.

De plus, je discernais déjà dans certaines orientations des grandes organisations internationales, des prises de position, des mises en accusation, qui me semblaient déplacées, indécentes.

J'ai suivi, au fil des années, le lent déclin moral de ces institutions. Que l'apparition légitime, en leur sein, d'une nouvelle majorité ait abouti à la mise en accusation systématique d'Israël, me semble, par exemple, une profonde tragédie, inacceptable et funeste.

J'eus l'occasion de l'exprimer, spontanément et publiquement au cours d'un débat international organisé par Radio France, au directeur général de l'UNESCO, et au premier ministre luxembourgeois, Gaston Thorn, qui venait de présider l'Assemblée générale de l'ONU.

Pour la première fois depuis ma démission, en 1959, de ces organisations, j'étais confronté à deux personnalités dirigeantes des Nations unies. Je fus étonné moi-même par la dureté de mes propos qui ne les visaient pas personnellement. Mais je ne pouvais m'empêcher de songer aux efforts vains de toute ma génération.

— Vous, monsieur le directeur général, vous n'êtes pas fier, j'en suis sûr, des déviations qui ont récemment compromis les nobles tâches de votre organisation dans les domaines de l'éducation, de la science et de la culture. Et vous, monsieur le Premier ministre, vous avez présidé à New York, sans joie, j'en suis certain, une Assemblée scandaleuse aux Nations unies. L'histoire retiendra qu'à une époque où le monde affrontait la faim, la pollution, la course aux armements et la pauvreté — la seule grande décision sortie du concert des nations fut une diffamation honteuse, et lâche, du peuple juif. Le peuple qui, plus que tout autre, a souffert du racisme est aujourd'hui accusé d'être raciste.

Encore une fois je me trouvais ramené aux raisons d'être de ma survie, et de mon combat : « Jamais plus ! »

9

Comme tant de jeunes Américains et d'Européens, je me sentis intrigué, puis mobilisé, par la candidature, originale et vigoureuse, à la Présidence d'un sénateur presque inconnu, John Kennedy.

Son style, son ton, ses équipes de travail, m'apparaissaient extrêmement prometteurs après les années d'immobilisme d'Eisenhower.

J'avais été invité, au début de 1960, en pleine campagne, à prendre la parole devant la Commission du commerce international du Sénat des États-Unis.

Mon exposé, dans la fièvre de la course à la Présidence, parut constituer pour les parlementaires une révélation. Ils découvraient qu'il manquait dans la politique étrangère des États-Unis une compréhension moins manichéenne de la seule puissance rivale sur tous les fronts, celle de l'Union soviétique, et une stratégie à long terme pour faire évoluer les choses dans un sens plus constructif.

J'estimais que si les États-Unis voulaient imprimer dynamisme et mouvement à leur politique étrangère, au-delà de la simple course aux armements, il fallait avant tout essayer de comprendre l'univers mental, la méthode d'analyse et de dialogue de ceux qui, inévitablement, étaient appelés à devenir leurs interlocuteurs, pour le meilleur ou pour le pire : les dirigeants soviétiques. Pour la diplomatie de l'époque, le monde était tranché. Cela ne pouvait pas durer et il n'était pas digne d'une grande démocratie de se contenter d'accumuler les fusées sans faire appel à toutes les ressources de l'intelligence pour trouver un autre chemin.

Presque aussitôt, les personnalités dirigeantes de cette commission parlementaire me demandèrent d'en devenir le conseiller.

J'acceptai, car je ressentais déjà à quel point ma contribution au monde de demain, quelle qu'elle fût, était liée à l'évolution des États-Unis.

Je m'installai durant l'été 1960 dans une demeure jolie et calme de trois étages à Georgetown, le quartier le plus pittoresque de Washington. Personne ne soulignera jamais assez combien l'échelle modeste des dimensions de cette ville, sa verdure,

186

son calme, son harmonie générale, constituent un bienfait pour la direction politique de l'Amérique.

La capitale fédérale est un lieu très particulier. Le cœur de la première puissance mondiale reste, par le ton et le rythme, un endroit réellement provincial. La solennité qui entoure encore l'exercice du pouvoir, si baroque et si ostentatoire en Europe, y est tout à fait inconnue. Les décisions importantes ne sont pas prises derrière des doubles portes capitonnées. C'est tout au contraire souplesse, familiarité, confiance, recherche de tous les dialogues, simplicité des rapports.

Peu après mon arrivée à Washington, je fus invité à rejoindre l'équipe de conseillers qui élaboraient, dans la campagne très indécise et serrée contre le vice-président Richard Nixon, les dossiers du candidat Kennedy. Le brain trust sur la politique économique internationale où je travaillais était présidé par George Ball, futur sous-secrétaire d'État.

Le général De Gaulle était alors au pouvoir à Paris, et les relations Europe-Amérique traversaient une phase délicate.

Ball était un ami intime de Jean Monnet, et nous formions tous un groupe d' « Européens » convaincus. Notre ambition était, au premier chef, d'élaborer une nouvelle collaboration, étroite, un grand dessein démocratique, une véritable alliance économique entre l'Amérique et l'Europe.

187

La spontanéité au sein de l'équipe de travail m'enchantait. Je retrouvais régulièrement dans un snack-bar des amis comme Tom Finney, Abe Chayes ou Mike Rashish, parmi les plus proches conseillers du futur président, qui déjeunaient d'un sandwich et d'un coca, discutant avec des personnalités déjà prestigieuses comme Dean Acheson, ou Averell Harriman. Aucun rapport hiérarchique. En permanence, l'échange des idées, et une grande ouverture d'esprit.

Notre travail se déroulait dans l'enthousiasme. Installés dans un appartement au milieu du bruit des machines à écrire, des conférences improvisées et de la circulation incessante des personnes, nous confrontions nos notes sur des coins de table.

Tout nous paraissait alors possible, réalisable. L'univers dépendrait de notre capacité à inventer. C'était l'optimisme même des premiers pionniers, y compris la sous-estimation absolue des obstacles immenses qui allaient, d'année en année, s'accumuler.

Quand je vis le nouveau président prêter serment face au Capitole, j'eus le sentiment qu'avec la victoire de John Kennedy, une génération pleine d'idées et de volonté arrivait pour longtemps au pouvoir.

Dès ses premiers discours, je retrouvai, stupéfait, dans ses propos, formulés avec son curieux accent de Boston, des fragments entiers de mes rapports au comité Ball.

Dans son best-seller intitulé *Les meilleurs et les plus intelligents,* chronique riche en révélations sur l'équipe d'hommes qui ont entouré Kennedy et sur leur travail, l'écrivain David Halberstam a donné à son titre une intention ironique et sceptique. On le comprend. Mais, à l'époque, ils étaient vraiment convaincus qu'ils représentaient une élite, investie d'une mission semblable à celle accomplie dans les années trente par leurs aînés, formés eux aussi à Harvard. A cette époque-là, les États-Unis, minés par l'inflation, brisés par trente millions de chômeurs, défigurés par les manifestations violentes, étaient plus qu'au bord du chaos. Un homme, Franklin Roosevelt, et son équipe, arrivèrent alors avec la foi et la volonté d'un sursaut démocratique. Cette renaissance, au moyen du New Deal, d'une société de justice et d'effort, fut ce qui permit, en fin de compte, à la démocratie de finir par écraser le fascisme.

Le défi était, de nouveau, gigantesque. Les buts qu'ils devaient se fixer étaient au moins aussi ambitieux, la gravité des problèmes, surtout internationaux, aussi préoccupante que lorsque Roosevelt arriva.

Il fallait encore une fois donner le dernier mot à l'intelligence. Tout simplement...

Mes responsabilités ne sont pas de premier plan,

mais vivre, à trente ans, proche du pouvoir est grisant, presque irréel. Je travaille avec des hommes de l'Exécutif comme avec ceux du Législatif. Je conseille à la fois le Département d'État et la commission économique conjointe du Congrès. Je suis fasciné par l'équilibre des forces dans le jeu politique américain. Il m'apparaît comme une garantie essentielle contre l'arbitraire, une protection contre des tragédies semblables à celles que j'ai connues. La présidence impériale et ses abus ultérieurs n'étaient pas encore perceptibles.

Ma situation personnelle, par contre, restait insolite. Associé parfois à des prises de décisions secrètes, disposant d'un accès à des documents confidentiels, je restais citoyen étranger. Certes, les services de la CIA et du FBI avaient scrupuleusement épluché mon passé. Ma position restait néanmoins bien anormale. Qui étais-je ?

L'interrogation lancinante qui nous avait harcelés, Ben, Nico et moi, dans le régiment américain le jour de la capitulation de l'Allemagne, je la ressentais identique, au milieu de mes amis, de mes compagnons de l'épopée Kennedy, où pourtant je me sentais tellement à l'aise et tellement accepté sans réserve.

Étais-je européen ? Certes, car ce continent m'avait marqué de façon indélébile.

Étais-je également australien ? Un peu, car c'est là que j'avais cessé d'être un sauvage et un illettré.

Ce pays m'avait éduqué, remodelé, transformé en un sujet britannique, à une époque où la moitié du monde vivait encore au rythme et autour de l'Angleterre de Churchill.

Et pourtant, c'est dans le cadre des États-Unis, et là seulement, que ma volonté d'agir semblait enfin pouvoir s'épanouir. J'étais de tout cœur américain. Mais toujours pas, en vérité, aux yeux de la loi.

Je ne vivais pas aux États-Unis depuis assez longtemps pour satisfaire aux conditions de naturalisation. Et j'étais entré comme étudiant, non pas comme immigrant.

En 1961, le Congrès, auquel je m'identifiais tant, me nomme par une décision spéciale citoyen à part entière des États-Unis. John Kennedy m'envoie un fac-similé de cette « loi Pisar », ainsi que le stylo avec lequel il l'a signé. Telle est l'Amérique.

Mes amis se réunirent dans ma maison de Georgetown pour fêter l'événement. Je circulais ému comme un enfant, je contemplais leurs visages détendus, chaleureux.

Nous avions le même âge, et rien ne nous différenciait en apparence.

Mais ils avaient grandi dans leur pays, au Massachusetts, en Oklahoma ou en Californie, imprégnés d'une profonde tradition démocratique et entourés de certitudes. Moi, j'étais né dans l'abattoir de l'Histoire et j'avais été façonné par l'épicentre même de la plus effroyable secousse politique et humaine.

Au fond de moi, je sentais que je serais, désormais et sans réserve, leur concitoyen ; mais jamais tout à fait semblable. Ma seule intimité serait avec mes souvenirs, avec la solitude.

Ma naturalisation me parut, au fond, déjà ancienne. Elle avait eu lieu quand j'avais à peine seize ans, lorsque le soldat noir du char à l'étoile blanche, en me libérant, avait fait de moi, à l'instant même, un Américain, comme lui.

Ce qui venait de se passer, avec cette décision solennelle du Congrès, n'était au fond qu'une simple légitimation.

Alors, je me tournai vers l'assistance et, ne pouvant pas leur exprimer ce que je ressentais au fond de moi, je me contentai d'une simple boutade qui cachait mal cependant mon émotion : « Vous, messieurs, vous êtes citoyens américains par un simple accident de naissance, moi je le suis de par la volonté du peuple ! »

*
* *

Malgré ma conviction qu'il fallait absolument que l'Amérique sorte de l'ornière de la guerre froide dans ses relations avec Moscou et Pékin, il m'était difficile de fermer les yeux sur les problèmes posés

192

par le ton belliqueux, et devenu encore plus menaçant que sous Eisenhower, de la stratégie du Kremlin.

J'avais pu vérifier, de l'intérieur, sous l'occupation de l'Armée rouge, la vulnérabilité du système soviétique. Je la ressentais comme une faille essentielle et une occasion à saisir. J'avais de la Russie une vue bien moins tranchée que la plupart de mes collègues. Ma foi dans les effets apaisants d'une coopération, d'abord économique et technologique, entre les deux camps ennemis, reposait sur la conviction que l'agressivité de Moscou résultait plus d'un sentiment de faiblesse que d'une position de force. Il fallait en convaincre les dirigeants et le président des États-Unis. Rien n'était moins évident pour eux. Ils en voulaient beaucoup à Roosevelt d'avoir été si indulgent face à Staline dont Hitler avait tragiquement assuré la promotion dans le camp des défenseurs de la liberté.

En pleine crise de Berlin, qui évidemment n'arrangeait rien et nous ramenait au bord du gouffre, je dépose un rapport de cent trois pages, officiellement publié par le Congrès, auquel j'ai travaillé plusieurs mois : « Un nouveau regard sur la politique économique envers le bloc communiste. » Le climat général ne pouvait pas s'y prêter plus mal. Mais l'Amérique m'avait appris à ne pas craindre d'aller à contre-courant des idées dominantes.

J'écrivais dans l'introduction : « Nos attitudes politiques envers le bloc communiste restent marquées

193

par le manque de rigueur, de clarté et d'esprit de suite. A l'intérieur aussi bien qu'à l'étranger, l'impression suscitée par cette absence de stratégie claire a été celle d'une dérive dans n'importe quelle direction. En conséquence, la position des États-Unis à l'égard de l'Union soviétique et de ses satellites est devenue de plus en plus isolée des autres membres de l'Alliance Atlantique. »

A ma surprise, cette analyse obtient, dès sa publication, les honneurs de la première page du *Washington Post* et des articles, des débats dans plusieurs autres grands quotidiens. L'évolution des esprits s'accélérait sans préjugé. On peut faire confiance aux Américains pour aller jusqu'au bout.

Mon rapport, rédigé en termes mesurés, comportait bien des concessions de forme envers les croisés de la guerre froide. Je ne cherchais pas à heurter, mais à convaincre.

Ces précautions pourtant ne furent pas suffisantes pour m'éviter l'hostilité farouche de la droite et des protectionnistes, menés notamment par le représentant de Pennsylvanie, John Dent.

Le célèbre David Sarnoff m'exprima ses réticences avec regret, mais sur un ton mesuré.

Fondateur de la Radio Corporation of America, il dirigeait un empire gigantesque qui contrôlait notamment, à travers NBC, des centaines de chaînes de télévision sur tout le territoire des États-

Unis. Il était l'une des personnalités dominantes de l'Establishment sur le plan du pouvoir économique et de l'impact dans l'opinion publique. Il ne pouvait être que foncièrement allergique à la révision politique que je suggérais. Le général Sarnoff était le symbole même du « complexe militaro-industriel » qu'Eisenhower, sur la fin, avait eu soudain l'instinct profond de mettre publiquement en accusation.

Il me disait :

« Écoute, mon garçon, tes idées ne mèneront à rien. Tu es dans l'erreur. Complètement. Tu dois m'écouter. Ce que tu fais est un dangereux contresens. Ton intelligence ne peut pas se mobiliser pour une si mauvaise cause. »

Il balaya mes convictions, après un long débat, par une formule définitive :

« On ne peut coexister avec les Russes et les Chinois. Il faut seulement les combattre, un point c'est tout. Et, si nécessaire, avec leurs propres méthodes. »

Décontenancé par une analyse aussi rigide, je tentais d'avancer un argument susceptible de le toucher :

« Mais alors, nous deviendrons comme eux ! Comment pourrez-vous expliquer après aux jeunes qu'il reste des idéaux à défendre. »

195

Il secoua simplement la tête, en me contemplant. Il semblait sincèrement désolé de voir ce jeune homme, pour lequel il avait de l'affection, et sur qui il fondait de grands espoirs, rester sous l'emprise d'idées aussi irréalistes.

Un autre de mes croisés favoris de la guerre froide, Louis B. Mayer, chercha, lui aussi, à conférer à ma carrière une autre direction. L'empereur du cinéma américain, fondateur de la légendaire Metro Goldwyn Mayer, qui faisait et défaisait les plus grandes stars de Hollywood, me proposa, dès ma sortie de Harvard, de devenir un avocat de sa compagnie. Personne n'aurait pu être plus persuasif que lui : c'était pour mon bien.

A la fin, je conclus que si des hommes comme Sarnoff et Mayer estimaient que tel devait être mon avenir, il fallait évidemment que je m'oriente vers tout autre chose.

Fin 1961, je fais partie d'une mission dirigée par le sénateur Jacob Javits, président de la commission économique des parlementaires de l'OTAN, dans un voyage qui nous conduisit à Paris, puis à Moscou et dans plusieurs capitales de l'Europe de l'Est.

Les officiels rencontrés dans la capitale soviétique restaient méfiants, sceptiques. Mes thèses sur l'ouverture ne les séduisent en rien, eux non plus. Ils avaient peur, et refusaient l'ouverture de leur système à l'influence occidentale, même par le biais

196

de l'économie, et du progrès technologique. C'était encore le rideau de fer. Il s'agissait d'un réflexe, qui devait, à mons avis, s'estomper avec le temps et l'épreuve des faits, et qui était tout à fait comparable à la crainte, entendue sur tous les tons à Washington, de « consolider le système soviétique à nos dépens ».

Si l'Amérique vivait ainsi, psychologiquement, les derniers spasmes de la guerre froide, l'Europe elle, témoignait déjà d'une attitude plus pragmatique et plus audacieuse.

Les échanges économiques entre les deux super-puissances demeuraient encore dérisoires. Je proposais, pour détendre les relations avec Moscou, que Kennedy envoie une sorte de signal au Kremlin en levant son embargo sur l'importation de crabe du Kamchatka, jusqu'ici interdit sur le territoire américain, parce qu'accusé d'être mis en boîte par des « travailleurs esclaves ».

Nous voulions croire que le goulag, encore mal connu — c'était avant le coup d'éclat de Soljenitsyne — pourrait être démantelé. Il me semblait que le maintien des embargos, méticuleux, vexants et stériles, ne faciliterait en rien l'application des réformes anti-staliniennes engagées par Khrouchtchev.

Les premiers pas que je proposais me semblaient relever d'un nouveau réalisme indispensable. Il fallait à tout prix offrir au régime soviétique une

197

chance de se libéraliser. Ce pari sur l'avenir était impératif.

* *
*

Des situations importantes me sont accessibles au sein de l'administration américaine, mais je ne veux pas diluer mon énergie, émousser mon sens critique, dans un travail qui resterait celui d'un bureaucrate, à quelque niveau que ce soit. Je n'ai ni le désir ni le tempérament de rester à Washington, à l'intérieur du système.

La remarquable débauche d'imagination qui avait marqué l'avènement de l'administration Kennedy s'atténuait. Mes collègues, dans l'entourage du Président, s'étaient maintenant installés au gouvernement avec l'ambition, bien naturelle mais pernicieuse, de durer. D'autres avaient amorcé leur retour dans le secteur privé. Le dynamisme s'estompait.

Expert des relations juridiques et économiques entre l'Amérique et l'Europe, je songeais à ouvrir un cabinet spécialisé à Paris. Ce désir d'un retour sur la terre européenne, où j'avais failli être anéanti, pouvait passer pour une absurdité au moment où je refusais les propositions de grands cabinets d'avocats de New York. En réalité, je me rendais compte que ni la construction de l'Europe, ni l'élaboration d'une détente durable Est-Ouest, ne se feraient par les voies diplomatiques. Le temps

198

jouait contre nous, et le fossé entre les mentalités, entre les deux mondes, devenait immense.

Par contre, j'avais accueilli avec enthousiasme la signature du Traité de Rome, première étape vers l'unification européenne, qui me paraissait un objectif essentiel pour la survie de la démocratie.

Ce dessein, que j'avais tant étudié et défendu à Harvard, semblait enfin sur le point de transformer le vieux continent. Il fallait être proche de ce théâtre d'action, où le destin du monde pourrait se jouer de nouveau.

Quittant Washington pour l'Europe, je m'arrête à Lausanne. Je dîne chez l'acteur Yul Brynner, en compagnie de mon ami, le metteur en scène Anatole Litvak, et du banquier Loel Guinness. Au cours de la soirée, Guinness me questionne :

« Quels sont vos projets ?

— Me rendre à Paris pour chercher un appartement et un bureau ; je compte ouvrir un cabinet d'avocat international.

— Oh, cher ami, j'ai certainement ce qu'il vous faut. Je possède un immeuble place de la Madeleine, dont le troisième étage est inoccupé. Je peux vous le louer. »

Éberlué, je regardai Guinness. La rapidité avec laquelle ce Crésus considérait avoir réglé mes problèmes m'embarrassait. Comment lui dire que mon budget était très restreint, que je n'ai encore aucun client, et que l'emplacement qu'il me propose est certainement beaucoup trop superbe pour moi ? Je tentai une timide réplique :

« Vous savez, j'aurais juste besoin de deux bureaux, pour moi et une secrétaire. »

Guinness balaya royalement cette objection :

« Écoutez, je rentre demain à Paris avec mon avion. Vous m'accompagnez et vous jetterez un coup d'œil. »

Le lendemain, résigné, j'étais à Paris avec lui. Dix jours plus tard, j'emménageais dans une suite de quatorze bureaux donnant sur l'église de la Madeleine et son ravissant marché aux fleurs.

Mon premier acte fut de camoufler les pièces inoccupées, pour que les clients en puissance ne se rendent pas compte de la profonde solitude de l'avocat qu'ils venaient consulter.

Je pars de zéro avec comme seul appui un modeste cabinet de Los Angeles, dirigé par un homme chaleureux et compétent, Leon Kaplan. Mais ma connaissance des problèmes du Marché commun me permet d'avoir rapidement pour premier client une importante société fabriquant des réacteurs nucléaires pour l'énergie civile. Elle me demande

200

d'analyser les responsabilités juridiques qui pourraient découler d'un éventuel accident.

Les clients affluent ensuite sans trop de difficulté et réunissent des personnalités aussi diverses que des chefs d'entreprise, des vedettes de cinéma, des écrivains...

J'occupe bientôt le troisième étage de l'immeuble, puis je déborde sur le deuxième, et enfin sur le sixième.

Je suis à la bonne place, Paris est devenu le centre de l'Europe occidentale en matière de droit international.

Mon travail est d'une agréable diversité et, au fond, je retrouve une bonne part de l'univers hollywoodien, que Louis B. Mayer voulait m'imposer. Il est piquant de prendre le petit déjeuner à New York avec Catherine Deneuve, ou à Madrid avec Ava Gardner, pour discuter du contrat de leurs prochains films ; puis de s'envoler pour Londres et de participer à un déjeuner de travail à la banque Rotschild.

Je négocie pour Richard Burton l'achat d'un jet privé qu'il souhaite offrir à Elizabeth Taylor, tout en poursuivant des négociations avec un consortium de banques européennes pour l'attribution d'un prêt à un groupe de compagnies multinationales.

Je voyage avec Pierre Salinger, encore profondément marqué par l'assassinat de John et de Robert Kennedy, auxquels il était très lié, pour mettre sur pied une série de superproductions d'opéras filmés.

J'aide Jane Fonda à aplanir ses problèmes professionnels, pendant qu'elle milite avec passion contre la guerre au Vietnam. En même temps, je donne des avis sur l'implantation de sociétés françaises en Amérique, de banques japonaises en France, et de sociétés américaines en Allemagne.

Au cours de cette activité cosmopolite, le client auquel, cependant, je dus consacrer le plus de temps fut un petit personnage à la tête rasée, au visage émacié, au corps squelettique, que j'avais longtemps oublié, et qui n'eut pas à payer ses honoraires : le matricule B-1713.

Quand le gouvernement du chancelier Konrad Adenauer avait adopté une loi offrant une indemnisation financière aux victimes des atrocités nazies, je fus violemment indigné. Comment admettre un instant que de l'argent pourrait effacer ces crimes ? Quelle perversion !

Lorsque Israël adopta une position contraire et accepta du régime ouest-allemand le versement de réparations, la décision me choqua. Mais je me l'expliquai par la situation extrêmement précaire du jeune État juif.

Mon cas était bien différent et n'avait pas les mêmes justifications. A quel prix pouvait-on oser évaluer ce que j'avais perdu ? A combien estimer mon destin disloqué, le bouquet de fleurs blanches jeté dans la cheminée de notre maison, la bague de fiançailles de ma mère arrachée par le SS sous la menace de sa baïonnette, la montre de mon père échangée contre un peu d'eau, toutes ces vies fauchées ? Indemniser, croire qu'avec quelques marks on pourrait effacer la plus grande monstruosité de l'Histoire ? Jamais.

Je rencontrai David Ben Gourion et son jeune bras droit Shimon Peres. Je dialoguai avec Nahum Goldmann, qui avait négocié l'accord avec l'Allemagne. Après leur avoir parlé, je fus troublé. Pouvais-je me considérer comme un meilleur Juif que le fondateur de l'État d'Israël et le président du Congrès juif mondial ?

Au fur et à mesure que je retournais le problème dans ma tête, je devenais simplement exaspéré : « Au fond, qu'ils paient ! »

Ainsi donc, j'étais encore marqué d'un réflexe de vengeance ! L'argent ne serait pas une compensation, mais le seul moyen, au fond, de forcer les Allemands à expier ?

Pourtant, au fond de mon cœur, c'était le repentir, et ñon pas une impossible expiation que je demandais. Je pris ma décision juste avant la date limite fixée par la loi. La procédure fut longue et complexe. Il me fallait prouver que mon père avait bien été exécuté par la Gestapo, que j'étais bien à

Bialystok quand les SS envahirent le ghetto, et qu'ensuite j'avais bien été déporté dans les camps de la mort. Les témoins et les preuves qui n'avaient pas été détruits par les nazis étaient fort rares.

Finalement le prix de ces quatre années d'esclavage ne s'élevait pas à plus de quelques milliers de dollars, moins que la note d'honoraires que j'avais présentée, peu auparavant, à une grande firme pour quelques jours de consultation.

Je n'ai jamais touché à un sou de cet argent. J'attends le jour où je pourrai l'utiliser pour honorer la mémoire de mon père, de ma mère et de ma sœur.

*
* *

Avocat international à Paris, membre des barreaux de Londres et de Washington, je pourrais, certes, profiter de ma vie intéressante et prospère. Mais j'en éprouve assez vite les limites.

Pour parfaire ma connaissance du monde communiste et surtout de la Chine de Mao, je passe un doctorat à l'université de Paris. Je tente d'innover, de repenser les procédures pour un monde qui change à une vitesse galopante.

Puis je découvre, dans les prémices d'autres catastrophes, le défi que je cherchais : écrire un livre sur la réduction des tensions Est-Ouest, d'où un conflit apocalyptique pouvait soudain surgir. Un livre qui allait me prendre six années de travail solitaire, le soir, après la journée à mon cabinet.

J'accomplissais surtout ce travail de réflexion et d'écriture dans la propriété familiale de Valéry Giscard d'Estaing à Authon, qui fut, durant cette période, ma maison de campagne et qui m'offrit l'occasion de nombreux dialogues avec lui.

Au fil des années, je différais la publication. Trop d'éléments nouveaux viennent, chaque fois, l'enrichir, le compléter. Ce travail sur la détente entre systèmes politiques antagonistes, n'arrive-t-il pas trop tôt? L'opinion est-elle prête à l'accepter? Chaque jour révélait de nouveaux éléments de tension et de conflit. Les États-Unis et l'URSS poursuivaient inexorablement leur rivalité militaire et idéologique, aussi stérile que ruineuse, paralysant toute action constructive.

L'intégration économique entre l'Est et l'Ouest, ce que j'appelais *Les Armes de la Paix* m'apparaissent comme la seule chance de pacifier les esprits et de stabiliser les relations internationales autour d'un intérêt réciproque.

Je tentai d'éclaircir le système d'idées qui avait mûri progressivement en moi à partir de mon action et de ma vie. Je m'appuyai, en particulier, sur trois expériences.

Citoyen forcé, pour un temps, de l'empire soviétique, je connaissais les ressorts et les insuffisances de l'URSS. Le monde de Staline ne restait pas, pour moi, comme aux yeux des diplomates, une abstraction.

Je voulais aussi appliquer, le résultat de mes recherches à Harvard, ainsi que de mes initiatives et dialogues politiques à Washington. Enfin, grâce à l'activité professionnelle au sein de mon cabinet, je découvrais les milieux économiques, et je retirais de mes observations une analyse pratique.

Vu de l'Ouest, je pensais que, sans une voie vers la détente, rien ne serait possible : ni le freinage de la course aux armements, ni un effort efficace pour sortir le Tiers Monde de sa misère.

Il me semblait aussi que cette démarche était la voie qui pouvait amener, peut-être, une ouverture dans la société concentrationnaire, de plus en plus pesante en Union soviétique, et favoriser un certain respect des libertés humaines. Il fallait contribuer à en faire une politique.

Ma position de principe a toujours été intellectuellement claire et je n'ai jamais varié. A l'Est, l'ouverture économique doit marcher de pair avec les droits de l'homme. En tout état de cause, il ne peut y avoir de progrès économique durable qui ne soit fondé sur la libre circulation des hommes et des idées. Si Rostropovich ne pouvait jouer, si Almarik ne pouvait écrire et si Panov ne pouvait danser, alors les savants ne pouvaient pas inventer, les techniciens ne pouvaient pas innover, les managers ne pouvaient pas gérer.

Toute comparaison entre le régime nazi et le système soviétique me demeurait pénible. Mais l'expérience du IIIe Reich montre que la racine de sa perte tenait à ce qu'il n'a pas permis à des hommes comme Albert Einstein, Thomas Mann ou Willy Brandt de pouvoir respirer à l'intérieur de ses frontières. Si elle le leur avait permis, l'Allemagne ne serait pas devenue cette société sinistre, suicidaire.

Je ressentais mieux que tout autre l'impatience des victimes des goulags face aux calculs prudents de « politiques » occidentaux. Ce désarroi, cette fureur, je les avais éprouvés lorsque, enfermé moi-même, j'attendis ce qui me sembla être une éternité, avec mes compagnons, l'arrivée, si lente, des forces alliées qui nous libéreraient. Les troupes de Patton et Montgomery restaient immobilisées par d'interminables divergences de vues tactiques, par des vanités personnelles, tandis que, dans les camps, le nombre quotidien des exterminations ne cessait de croître, de jour en jour.

Oui, j'approuvais, sans réserve, la démarche intellectuelle et morale des dissidents. Mais... je ne pouvais pas non plus détacher ma pensée du fait central. L'affrontement direct avec le risque d'un conflit nucléaire serait un acte de folie pure. Alors, par quelle voie passait, à notre époque, si radicalement différente de celle de nos parents, ce qu'on appelle « la libération » ? Je me refusais à admettre que, prisonnier entre ces deux désastres, l'acceptation du goulag et l'anéantissement nucléaire, l'esprit humain capitule. Je sentais renaître en moi l'instinct animal de la survie.

Il m'apparaissait absurde et dangereux que plus du tiers de la population de la planète — la Chine, l'URSS et l'Europe de l'Est — soit pratiquement exclu des échanges internationaux. Absurde et dangereux. Il fallait donc élaborer, avec ces partenaires en puissance, un véritable tissu d'intérêts réciproques. J'étais surpris et consterné en voyant que les grands industriels et banquiers de l'Occident refusaient même de l'envisager. Prisonniers d'une gestion à court terme, ils ne manifestaient aucun goût pour cette ouverture vers l'Est, dont dépendrait pourtant le sort de la guerre ou de la paix.

Finalement, en 1969, j'envoie à mon éditeur américain un manuscrit de plus de mille pages, auxquelles sont jointes des milliers de notes, rédigées en plusieurs langues : chacune expliquant les sources de mes recherches.

Sa réponse, par télégramme, ne soulage guère mon inquiétude : « Votre manuscrit est beaucoup trop long et beaucoup trop technique. Simplifiez tout cela. »

Je m'exécute. Malgré ces aménagements, je n'envisage pas que ce livre puisse obtenir une large audience. Seulement quelques spécialistes et universitaires.

Pourtant, dès sa parution, le débat suscité ne cessera de s'élargir et de s'approfondir.

Je suis invité à prendre la parole devant plusieurs commissions du Congrès des États-Unis.

Une longue synthèse du livre est rédigée par le Conseil National de Sécurité, sous la direction de Henry Kissinger.

Le gouvernement américain enfin me demande de collaborer à l'ébauche d'un traité commercial avec l'Union soviétique, le premier depuis quarante ans...

Des discussions s'engagent à la Chambre des Communes britannique, à l'Assemblée nationale française, aux Cortes espagnols et au cours d'une réunion de parlementaires de l'OTAN, dans le Bundestag, à Bonn.

En Europe, le livre est scindé en deux volumes publiés à peu d'intervalle. Jean-Jacques Servan-Schreiber préface *Les Armes de la Paix* et Valéry Giscard d'Estaing préface *Transactions entre l'Est et l'Ouest*.

Je constate ainsi, pays après pays, que cette tâche

correspondait à une attente, un besoin qui coïncide avec le désarroi du monde du pouvoir.

Notre univers politique n'a guère que le temps de jouer à court terme. Le milieu économique est durement secoué par toutes les critiques de l'opinion publique.

Aux uns et aux autres, ma théorie de la détente, fondée d'abord sur les relations économiques et technologiques, sans calcul idéologique, semble offrir un nouveau projet, une justification. L'ouvrage tombe bien.

On me félicite d'avoir « choisi le bon moment ». Je sais qu'il n'en est rien. Pur hasard.

Cet acte, je l'ai accompli sans illusion excessive, et je suis trop lucide pour me laisser abuser.

Ce qui m'importe, c'est d'avoir pu susciter l'accord de tendances émanant d'horizons aussi divers que la *Pravda* et *Izvestia* en URSS, le *Wall Street Journal,* aux États-Unis, ou le *Nihon Keizai* de Tokyo. Des personnalités aussi diverses que le sénateur Edward Kennedy, l'industriel Giovanni Agnelli, et le chancelier autrichien Bruno Kreisky, enrichissent le débat.

Des perspectives d'action, de longue portée, s'ouvrent devant moi.

Le livre fut publié dans de nombreux pays. La

version allemande, intitulée outre-Rhin. *La Grande Affaire,* était dédiée, bien sûr, à Nico et à Ben, mes deux compagnons dans la souffrance et la liberté. Nico déjà mort aurait aimé cette plaisanterie, de la même verve que les canulars que nous avions l'habitude de monter ensemble à Landsberg.

10

Quand j'arrivai dans l'appartement new-yorkais où j'étais invité à dîner, elle fut la seule personne que je remarquai.

Brésilienne ? Grecque ? Yéménite ? Il y avait dans sa beauté quelque chose de profondément insolite. Au milieu de la réception mondaine et prévisible, il émanait de cette jeune femme au teint si cuivré, à la silhouette si fine, un mélange d'humour et de réserve qui me fascina.

Les premiers mots qu'elle m'adressa en français, sachant que j'arrivais de Paris, ne me révélaient rien sur ses origines. Poursuivant la conversation en anglais, je découvris que Judith était américaine.

Son univers était très éloigné du mien. Elle me

parlait de la peinture d'avant-garde de Mark Rothko, de la musique mathématique de Iannis Xenakis, du théâtre expérimental de Peter Brook et de Bob Wilson ainsi que de la compagnie de danse de Merce Cunningham dont elle était directrice. Je sentais que j'affrontais une de ces situations où, dans le cours de ma vie, je n'étais pas à la hauteur.

Cette rencontre désorganisa nos vies. Je répartis mon emploi du temps pour être le plus souvent près d'elle. Quand sa compagnie de ballet allait à Mexico ou à Rome, je trouvais une raison d'y être. Elle s'arrangeait, de son côté, pour me rejoindre à Londres, Vienne ou Copenhague.

A l'époque j'étais un homme profondément malheureux. Mon mariage avec Norma, que j'avais épousée lorsque j'étais encore étudiant à Harvard, était devenu sans espoir. Pourtant nous avions tout tenté pour sauver notre foyer et préserver l'équilibre de nos deux filles, Helaina et Alexandra.

Judith, qui s'était mariée à vingt ans, souffrait de la même incompatibilité.

Les séparations violentes sont faciles. Celles qui se règlent amicalement sont les plus pénibles et la douleur ne s'efface jamais totalement. Après quinze ans de mariage, mon divorce intervint en 1970. Celui de Judith peu après. Nous nous sommes mariés à New York en septembre 1971.

Son fils Antony, âgé de neuf ans, vint vivre avec

nous à Paris. Mes enfants passent presque autant de temps en France qu'avec leur mère en Californie. Leah naquit en 1972 et le miracle de Judith fut de reconstituer avec sensibilité et résolution, à partir de tous ces fils apparemment brisés, un foyer harmonieux.

*
* *

En été 1971, Judith m'accompagne en Union soviétique, avec une importante délégation américaine, réunissant une dizaine de personnalités dont David Rockefeller, Milton Eisenhower, les sénateurs Frank Church et Mark Hatfield et le général James Gavin.

Le but de notre visite est la réunion annuelle de la « Dartmouth Conference » appelée ainsi parce qu'elle s'était formée à l'Université Dartmouth. Son objectif était d'approfondir et de développer un dialogue sérieux et discret, entre délégués américains et soviétiques de premier rang, en dehors de tout cadre officiel.

Le niveau des responsables, de chaque côté, indiquait bien l'intérêt que les deux gouvernements portaient aux initiatives que pourraient déclencher ces discussions.

Le site choisi était Kiev, capitale de l'Ukraine.

L'ordre du jour prévoyait des discussions précises sur le contrôle des armes nucléaires, la pollution des océans et de l'atmosphère, le développement des relations économiques, industrielles et scientifiques entre les deux pays.

Les propositions de la délégation américaine, sur ce dernier point, avaient été rédigées sous ma responsabilité.

Nous étions arrivés pleins d'optimisme.

Après deux décennies de guerre froide, les États-Unis et l'URSS se montraient décidés à rechercher les bases d'une entente sur quelques points cruciaux.

J'avais rapidement donné congé au modeste exécutant du KGB camouflé en guide-interprète, lui expliquant que ma connaissance du russe était suffisante pour nous permettre de circuler seuls.

A Moscou, en attendant l'ouverture des travaux, nous avons passé des jours fascinants dans les musées, au Bolchoï et à rencontrer des artistes dissidents.

Judith n'admettait pas, et comme elle avait raison, que nous soyons si près de la merveilleuse ville de Leningrad sans aller visiter les trésors de l'Ermitage, ni assister à une représentation de l'incomparable ballet Kirov.

Une nuit, dans un restaurant sur les rives de la Neva, je me joignis même à un orchestre de balalaïka et je chantai devant l'assistance quelques vieilles romances russes que ma grand-mère avait l'habitude de fredonner.

En somme c'était l'euphorie !

Mais, quand les deux délégations, installées à l'intérieur du vaste Palais de la Culture de Kiev, s'assirent de chaque côté de la grande table, l'optimisme des délégués américains se dissipa à vue d'œil.

Au lieu d'aborder les sujets prévus à l'ordre du jour, les Soviétiques se lancèrent, les uns après les autres, dans de violentes diatribes.

La direction soviétique, qui avait jusqu'ici oscillé entre une libéralisation et la poursuite de l'autoritarisme stalinien, paraissait avoir tranché. C'était la répression.

Le prétexte qu'ils avaient saisi était celui des Juifs soviétiques désireux d'émigrer en Israël.

Aux yeux des officiels, la cause sioniste s'identifiait complètement à celle de tous les fameux « dissidents », à cette avant-garde de l'intelligentsia qui ne cessait de militer, au risque de sa vie, pour un respect plus réel des droits de l'homme en Russie.

Cette dissidence croissante constituait une menace pour le pouvoir en place. Et notre délégation ne fut guère surprise, en écoutant patiemment nos interlocuteurs, de les voir réagir par la tactique classique de l'amalgame, et notamment d'évoquer « la poignée de traîtres vendus aux capitalistes occidentaux ». Notre malaise s'accrut, par contre, en constatant que nous, venus la main tendue, nous étions nous aussi mis en cause par ce barrage de propagande.

Alors que nous avions accompli ce voyage, et soigneusement choisi les leaders américains dans chaque secteur de la vie active des États-Unis, pour nouer un dialogue destiné, précisément, à dépasser la simple rhétorique officielle, nous étions transformés en accusés, et contraints à écouter des réquisitoires qui atteignaient des limites difficilement admissibles.

Tout comme la campagne orchestrée au même moment par la presse soviétique, les interventions dans la grande salle revêtaient une coloration nettement antisémite avec des références volontairement répétées aux « Juifs nazis de New York », et aux « fascistes israéliens de Tel-Aviv ».

Les visages américains, encadrés par les écouteurs de traduction simultanée, s'assombrissaient, et se fermaient. Je contemplais les hommes qui nous faisaient face.

Ils paraissaient prétentieux et durs.

Le coprésident soviétique de la Conférence, Alexandre Korneichuk, président du Parlement

Ukrainien, semblait me fixer, moi plus directement, comme s'il me rendait personnellement responsable de ces rébellions contre les tabous du parti.

J'avais vu si souvent ce regard, qui reflète un sentiment de supériorité rigide et intransigeant, s'attribuant toutes les vertus et vous condamnant sans espoir...

Ce regard qui connaissait tout, jugeait tout, tranchait tout, était la projection, la copie conforme de celui qui avait régné si longtemps au Kremlin et devant lequel tout un peuple avait, si longtemps, tremblé sans appel. Ainsi nous en étions encore là ?...

Staline était mort mais son visage implacable, sa mentalité d'acier, survivaient toujours, là, devant nous, chez ses disciples.

De tous les Américains présents, j'avais, seul, su ce que représentait la vie du peuple, et la stérilisation de l'esprit, sous ce regard paralysant.

*
* *

J'avais dix ans lors de l'invasion brutale de la Pologne par les nazis, en 1939, puis du partage du butin entre Hitler et Staline, qui aboutit à l'occupation de la moitié Est du pays par l'Armée rouge.

De notre balcon, j'avais contemplé, avec ma famille, l'entrée de la cavalerie russe.

219

Je me rappelle, curieusement, le soulagement de mes parents.

Certes, les Russes arrivaient en occupants mais ils l'avaient fait à maintes reprises au cours des siècles précédents...

Ils étaient devenus communistes sans doute, mais on tentait de se rassurer, en rappelant que la pensée révolutionnaire qui inspirait le pouvoir soviétique avait eu aussi des racines à Bialystok. Au fond, le mauvais nous évitait le pire. Les Russes nous permettaient d'échapper à la férule nazie.

Ce « salut » se paya d'un prix élevé. Tous les chefs de famille durent se faire délivrer de nouvelles cartes d'identité. Si cette carte était timbrée du mot « bourgeois », la famille était contrainte d'échanger sa maison avec « les représentants des classes laborieuses ». Le déménagement devait être effectué en quelques heures et les occupants devaient abandonner tous leurs meubles sur place.

Nous commencions à vivre dans l'angoisse des visites nocturnes, des coups frappés à la porte à minuit. Un grand nombre de familles juives étaient ainsi, subrepticement, ramassées et exilées en Sibérie. Ceux qui, comme mes cousins, durent partir, désespérés, n'imaginaient évidemment pas qu'ils auraient là-bas des chances de survie bien plus grandes que ceux qui restaient à Bialystok — où Hitler scellerait, si prochainement, notre destin.

Les autorités soviétiques vinrent chez nous alors que mon père réparait un moteur d'automobile. Il se tenait devant eux, les mains pleines de graisse. Ce fut suffisant pour que sa carte d'identité portât la mention « travailleur », faisant de nous des membres de la nouvelle classe privilégiée.

Mon attitude à l'école prit aussi une orientation différente. La qualité de l'enseignement dispensé par les communistes était supérieure à celle que j'avais connue auparavant. Je pris goût aux études.

Il y avait à cela une explication psychologique. J'étais gagné aux idéaux révolutionnaires qui découlaient de l'endoctrinement auquel nous étions soumis.

Nous nous considérions, avec enthousiasme, comme les plus jeunes citoyens de l'État prolétarien. Nous adhérions, avec foi, à cette séduction idéologique.

Nos professeurs multipliaient les récits sur les pogroms et autres forfaits commis à l'encontre des Juifs par l'ancien régime, celui du tsar, et sur la politique discriminatoire de l'époque en matière d'éducation et de religion.

Au contraire, les exploits des géants, Marx, Lénine et Staline, qui faisaient irruption dans le monde pour le délivrer de toute injustice et de toute oppression, nous étaient racontés de manière éloquente et convaincante, comme des contes pour enfants, le soir au coucher.

Nous frissonnions de joie à la description de la grande révolution d'Octobre qui en constituait l'apogée. Un homme « nouveau », l'homme communiste, avait ainsi fait son apparition dans l'Histoire. Chacun, qu'il soit russe, polonais ou juif, pourrait mener désormais, sans la moindre discrimination, une vie de liberté, de dignité, et de bien-être.

Pour moi, le monde devenait clair comme le jour : l'Union soviétique était progressiste, le reste de l'univers conservateur et soumis encore aux formes les plus odieuses de l'exploitation de l'homme par l'homme.

J'annonçai à mes parents que, plus tard, je deviendrai général dans l'aviation soviétique.

En attendant, je portais le foulard rouge des jeunes pionniers et, à douze ans, mon goût de la compétition sportive m'avait permis d'acquérir le grade de capitaine chez les cadets militaires.

Mon père et ma mère n'étaient pas tout à fait enthousiasmés par ma conversion. Mais j'attribuais leur attitude au fait qu'ils appartenaient beaucoup trop à l'ancien monde pour comprendre, d'emblée, les révélations du nouveau.

Ils eurent la sagesse de ne pas tenter de s'opposer,

du poids de leur autorité parentale, à l'enseignement communiste qui m'était dispensé. Une telle attitude de leur part aurait créé, dans mon esprit, un conflit intolérable.

Nous avions reçu la consigne, de nos maîtres, de rapporter toute « déviation » que nous pouvions constater dans nos familles. Mon état d'exaltation était tel que j'aurais, je n'en doute pas, pu obéir à la consigne.

Le 22 juin 1941, l'effondrement, incroyable, des forces soviétiques devant l'offensive des divisions nazies ébranla mes convictions comme aucune autre révélation n'aurait pu le faire. Où était donc le moral indomptable de l'homme communiste ?

Les responsables soviétiques, civils et militaires, s'enfuyaient en abandonnant tout.

Où était donc la puissance irrésistible de l'armée du peuple ?

Fuyant vers l'Est, avec ma famille, dans un camion procuré par mon père, je voyais les bataillons de l'Armée rouge transformés en colonnes lamentables de prisonniers, sales, affamés et complètement désemparés. Plus aucun commandement, ni aucune résistance.

Au bout de quelques jours, devant la progression des nazis, notre retraite fut coupée et nous dûmes nous résigner à l'inévitable.

Plus encore que la défaite, sans coup férir, des soldats soviétiques, c'est la manière dont leur courage militant s'était évaporé qui me laissait stupéfait.

J'ai vu là plusieurs de nos professeurs et autres officiels se comporter d'une manière qui interdisait de continuer à croire en leur cause.

La trahison sans pudeur, la collaboration empressée avec l'ennemi de la veille, la corruption, apparaissaient comme quelque chose d'instinctif, et pour eux une sorte de libération.

J'étais encore trop jeune pour le formuler en mots, mais déjà assez âgé pour comprendre que leur foi ne devait pas être bien profonde pour disparaître à ce point d'un seul coup. Un système de valeurs si fragile pouvait-il continuer à prétendre être réellement un système ?

Je me rappelle avoir lancé un regard furtif à mon père qui pilotait le camion, en songeant que lui, au moins, était digne de confiance.

* **

L'autobus transportant les délégués américains s'arrêta en face d'une imposante statue au centre de Kiev, représentant un guerrier vêtu d'une armure et brandissant une épée du haut d'un monumental cheval cabré.

224

« Qui est-ce ? demanda Judith.

— C'est Bogdan Khmelnitsky ! répondit notre guide. Un de nos grands héros nationaux, un des champions, au xviie siècle, de la lutte de libération contre les envahisseurs venus de l'Ouest. »

La réponse était totalement stéréotypée, sortie tout droit du texte officiel.

Ce n'était guère le portrait que j'avais pu lire dans les manuels scolaires de mon école communiste à Bialystok. Khmelnitsky était un chef de bande cosaque, dont la révolte contre l'occupation polonaise de l'Ukraine fut le seul épisode respectable dans le cours d'une carrière marquée, d'un bout à l'autre, par des raids sanglants, d'affreux pogroms contre les villages juifs. Depuis trois siècles, on ne prononçait pas son nom dans les synagogues sans ajouter... « Puisse-t-il être effacé ! »

Quand les bolcheviks vinrent au pouvoir, en 1917, ils flétrirent son action et le précipitèrent dans les oubliettes de l'Histoire.

Mais en 1941, Staline, dans un effort désespéré pour mobiliser le pays contre l'envahisseur nazi, réhabilita chaque figure nationaliste depuis Ivan le Terrible. Khmelnitsky resurgit alors comme un « grand leader », patriote ukrainien.

L'Union soviétique ne trouva la force de résister

que dans le formidable fond de courage, d'endurance et de patriotisme du peuple russe, mettant de côté le verbiage de l'idéologie marxiste-léniniste, jusqu'à la victoire finale.

Pour les Juifs du monde entier, la réhabilitation de Khmelnitsky fut insupportable. Quand, durant la guerre, mon oncle Lazare apprit que le Kremlin avait créé une décoration qui porterait le nom du cosaque ukrainien, et que le premier soldat soviétique à la recevoir serait un Juif, il réagit violemment et rédigea un article de protestation. Le conflit battait son plein et les journaux australiens refusèrent de publier sa lettre en alléguant qu'elle pourrait passer pour un acte inamical envers un pays allié.

A la fin, excédé, Lazare obtint de l'armée une permission d'une semaine et imprima à ses frais un pamphlet qu'il alla distribuer à bicyclette, de porte à porte. « Nous sommes fiers, écrivait-il, de l'officier juif honoré pour son courage, mais nous rejetons avec dégoût la médaille Khmelnitsky. »

* *
*

Notre conférence recommença, le jour suivant. Les Soviétiques reprirent leurs attaques là où ils les avaient interrompues, vitupérant contre quiconque à l'Ouest osait s'immiscer dans leurs affaires intérieures. Il devenait impossible de rester passif.

L'expression glaciale de mes collègues américains

226

montrait qu'ils étaient choqués des manières inqualifiables adoptées contre eux et en leur présence.

Pire, ils découvraient un des fondements les plus haïssables du système communiste, qui rend tout dialogue honnête avec ses représentants extrêmement difficile, sinon impossible, quand ils sont en service commandé. Ces mensonges zélés, cette ferveur hypocrite, ces tendances à parler par formules creuses et prétentieuses, tout cela n'avait qu'un but : ne pas révéler l'inavouable fragilité de l'édifice du pouvoir en place.

Au-delà, d'ailleurs, transparaissait une vérité plus complexe. Les hommes qui nous faisaient face cherchaient toujours à préserver leurs intérêts, manifestaient de l'inquiétude quand il y avait une raison d'avoir peur, se montraient tenaces quand il était nécessaire de tenir bon. Mais il s'agissait aussi d'individus capables comme n'importe qui, au-delà de ce double langage, de compréhension et de raison, de bravoure et de sacrifice.

La conférence allait à la rupture en raison des assauts brutaux et gratuits des Soviétiques, auxquels faisait face le silence offensé et pesant des Américains.

Je fis un signe au général Gavin et au sénateur Church et me dirigeai vers eux :

« J'aimerais que nous puissions aller dehors parler une minute.

— Ecoutez, dis-je, quand la porte fut refermée derrière nous, ne pensez-vous pas qu'il est temps que quelqu'un leur réplique ?

— Oh ! dit Gavin, ça ne peut pas durer.

— Ne vous faites pas d'illusion. Ils ne cesseront pas. Je suis le plus jeune membre de notre groupe, cependant j'ai l'expérience des Soviétiques. Ils vont conduire la conférence à l'échec, si on les laisse faire. »

Frank Church, très tendu, était resté silencieux ; il trancha :

« Je pense que Sam a raison, il faut répliquer. Leur réquisitoire sur le Vietnam, tout à l'heure, était totalement cynique. Je lutte contre cette guerre depuis des années. Nous n'avons aucune leçon à recevoir d'eux. »

Gavin n'avait jamais été un croisé de la guerre froide, mais il ne sacrifia jamais, non plus, une conviction morale. Il m'avait confié, un jour, que si le général Patton et lui avaient eu le feu vert de Washington, ils auraient pu prendre Berlin, au lieu de le laisser aux Russes.

Cependant, en tant que coprésident américain de cette conférence, Gavin devait essayer d'aplanir les problèmes épineux.

« Jim, dis-je, prenant une profonde inspiration, je voudrais la parole. »

Il marqua une imperceptible hésitation.

« Bien, dit-il, vas-y mon garçon, et ne te laisse pas impressionner. Bonne chance. »

Je réintégrai ma place et j'attendis la fin de la dernière harangue. Puis, je levai la main.

« Gospodin Predsyedatyel. »

Il y eut un flottement dans la délégation soviétique en entendant ces mots de russe. Je continuais dans la même langue, m'adressant à Korneichuk.

« Monsieur le Président, je vous demande la parole. »

Il ne pouvait guère refuser. J'étais maintenant debout et je lançai un regard à Judith, assise dans l'assistance. Elle me répondit par un sourire d'encouragement.

« Mesdames et Messieurs », commençai-je en anglais.

Les Russes bondirent sur leurs écouteurs.

« L'hospitalité est chaleureuse, la ville merveilleuse, la compagnie admirable, mais la conférence s'égare. Soudain je me sens irrésistiblement poussé à sortir de mon domaine, l'avenir des relations économiques entre l'Union soviétique et les États-Unis, pour vous exprimer un point de vue hautement personnel. Nos éminents collègues soviétiques ont jugé bon de s'éloigner des objectifs de la conférence, pour nous chapitrer sur l'attitude de l'Amérique vis-à-vis d'Israël, sur les protestations des militants Juifs de New York, sur les tragiques événements du Vietnam et autres sujets pénibles. Puisque tout semble permis, on doit pouvoir aborder d'autres sujets qui tiennent au cœur de quelques-uns d'entre nous. »

Sur le moment, le but de mon intervention était encore peu clair dans mon esprit, mais je ne pouvais plus m'imposer de limites de prudence. Nous touchions au cœur des choses.

Allais-je dire, allais-je savoir dire, exactement pourquoi et comment cette réunion laisserait passer une occasion unique si elle continuait de s'enliser dans des polémiques stériles au lieu de se pencher sur les questions capitales pour l'avenir de nos deux pays ?

Je demandai tout d'abord aux délégués de me pardonner une allusion à mon passé.

« Bien que je sois ici un représentant de l'opinion publique américaine, je ne suis pas américain de naissance. Le fait d'avoir été inclus dans un groupe aussi éminent est un hommage à ma patrie d'adoption plus qu'à moi-même. L'Ordre du jour que nous sommes venus discuter ici se rapporte à la paix. Or, une enfance vécue dans les camps de concentration nazis a fait de moi un expert en la matière. »

Je m'arrêtai. Milton Eisenhower, les coudes sur la table, se tenait la tête entre les mains. Est-ce une attitude d'attention ou de désapprobation ?

Le Pr Harrison Brown griffonnait machinalement sur le bloc de papier posé devant lui.

De l'autre côté, Georgi Arbatov, le principal conseiller du Kremlin pour les relations avec les États-Unis, me regardait froidement, tandis que l'écrivain Boris Polevoy lissait pensivement sa longue moustache.

Je n'avais pas l'intention d'évoquer mon enfance. Mais les mots, une fois prononcés, suscitèrent une profonde émotion en moi. Je devais maintenant aller jusqu'au bout !

Après une rapide référence aux critiques des délégués soviétiques contre la politique israélienne vis-à-vis des Arabes, je suggère qu'un problème d'une telle ampleur exige avant tout plus de modération de la part de tous, et qu'une approche qui commencerait avec des contacts économiques aurait, au Proche-Orient, une meilleure chance de succès que tous les efforts tentés jusqu'ici. Et maintenant l'essentiel.

« J'ai quelques commentaires à faire sur la " question juive " en Russie. Comme chacun ici, je n'approuve pas les actions des extrémistes juifs de New York contre les diplomates soviétiques. Mais si nous voulons traiter ce problème efficacement, il nous faut comprendre les souvenirs tragiques du génocide, les souffrances et les traumatismes exprimés par le cri désespéré de " Jamais plus ". Depuis l'holocauste nazi et tous les pogroms qui précédèrent, ce cri surgit chaque fois que le peuple juif sent son existence menacée. Dans une société telle que l'Amérique qui ne tolère aucune limite à la liberté d'expression, les réactions populaires aux questions émotionnelles ont tendance à être intenses. Quand elles vous satisfont, en Union soviétique, vous applaudissez ; quand elles vous dérangent, vous critiquez. Mais vous seriez bien avisés de ne pas perdre de vue les cheminements étranges de l'opinion publique dans une démocratie. »

Je sentais la tension monter dans la salle. J'étais allé trop loin pour songer à m'arrêter.

« Pourquoi ces réactions sont-elles si extrêmes aujourd'hui ? Excessives autant que les personnes qui les ressentent, elles demeurent conscientes des vieilles racines d'antisémitisme de l'histoire russe. Je sais que vous, vous n'êtes pas racistes et que ceux qui accomplirent la révolution d'Octobre étaient décidés à extirper ces racines, mais vous n'y avez pas encore pleinement réussi.

» Hier, vous nous avez montré les merveilles de Kiev. Parmi celles-ci l'héroïque statue équestre de

232

Bogdan Khmelnitsky. Pour moi, cette statue n'est guère un symbole d'héroïsme. Nous avons à l'Ouest une célèbre comédie musicale intitulée *Un violon sur le toit*; elle dépeint la vie juive dans cette région d'Ukraine avec la douce simplicité d'une peinture de Chagall ; mais hélas ! elle stigmatise aussi les lâches pogroms dont étaient victimes des innocents. A son époque, Bogdan Khmelnitsky était un leader de tels pogroms, un tueur de femmes et d'enfants sans défense. Il y a quelques années, l'écrivain américain Bernard Malamud a publié un livre intitulé *L'homme de Kiev*. Il y décrit la persécution des Juifs dans cette même cité, avant la Première Guerre mondiale, sous l'inculpation de meurtre rituel d'enfants chrétiens. Le gouvernement soviétique révéla plus tard que cette vile diffamation était l'œuvre de la police secrète du tsar. Mais, au cours des siècles, des épisodes de ce genre ont profondément imprégné la psychologie de votre peuple et ont été transmis, de père en fils, sous forme de haine religieuse et raciale. Il y a encore beaucoup à faire avant que vous puissiez opérer une guérison complète.

» Par conséquent, si des Juifs essaient de détourner un avion pour s'enfuir à l'étranger, on doit effectivement les traduire en justice, parce qu'ils ont transgressé la loi. Mais leur crime et leur châtiment ne devraient pas être diffusés avec autant de fanfare, parce que cela tend à ranimer le spectre du Juif fauteur de troubles.

» De plus, il n'est pas nécessaire d'épingler sur les

cartes d'identité le mot JUIF, car ils n'ont pas une république nationale en Union soviétique. Pour conclure, j'oserai suggérer que si des Juifs souhaitent quitter votre pays, parce qu'ils ne s'y sentent pas chez eux, pour des raisons culturelles ou religieuses, vous devez les autoriser à partir. »

J'avais presque terminé, et j'étais sur le point de me rasseoir, lorsque j'eus une inspiration :

« Dans les faubourgs de Kiev, il y a une fosse commune à même la terre, Babi-Yar. Près de cent mille Juifs furent massacrés et enterrés dans cette fosse par les hordes nazies. Votre grand poète Eugène Evtouchenko a écrit un émouvant poème sur ce sujet, qui commence par cette phrase déchirante : " Il n'y a pas de monument à Babi-Yar. " »

Je me remémorai certaines strophes de ce poème qui semblaient illustrer de façon saisissante mon propre destin :

Il n'y a pas de monument à Babi-Yar
Je suis effrayé
Aujourd'hui je suis aussi vieux que la race juive
Errant en Égypte
Dreyfus je suis
Je me sens comme Anne Frank
Je suis aussi un petit garçon de Bialystok
Mon sang tombe goutte à goutte et se répand sur le
  plancher

Saisi moi-même par ces images émouvantes, je

234

sentis qu'il fallait quelque chose de plus pour secouer cette conférence et tenter de lui faire quitter, enfin, la voie suicidaire où elle était engagée.

Est-ce qu'il n'y avait pas quelque chose, quelque chose de plus fort que les mots ? Un acte ?...

« Hier vous nous avez donné l'occasion de nous incliner devant le mémorial de votre grande guerre patriotique. Permettez-moi de dire que le trou de Babi-Yar mériterait, lui aussi, une visite. »

Je me rassis, au milieu d'un silence pesant qui me sembla durer une éternité.

Sam, me dis-je, tu es allé trop loin. Le poème d'Evtouchenko est interdit, le lieu délibérément ignoré et les Soviétiques n'ont aucune intention d'élever un monument à la mémoire de ces martyrs, parce qu'ils ne veulent rien faire qui puisse grandir la conscience juive. Et toi, tu les as poussés dans leurs retranchements les plus sensibles, en leur proposant une sorte de reniement politique. Pour parachever le tout, tu es allé jusqu'à réclamer publiquement, sur le sol même de l'URSS, le droit des Juifs à émigrer librement. Adieu à toute influence que tu aurais pu espérer avoir, dans la coexistence et l'amélioration des relations entre l'Est et l'Ouest.

Or, je venais, involontairement, de nouer deux problèmes aussi cruciaux pour la détente que les échanges économiques et les droits de l'homme. Ce que Jean-François Revel, dans *l'Express,* qualifiera un peu plus tard, de « nœud gordien de Kiev ».

Korneichuk se raclait la gorge et s'apprêtait à reprendre la conférence en main. Mais le sénateur Hatfield, avec son allure de pasteur protestant, intervint avant lui :

« Camarades, puis-je faire une très brève remarque ? Comme Sam vient de le souligner, nous sommes venus ici pour débattre des problèmes de la paix. Seuls un mot, une langue, peuvent convenir à la signification pleine et entière de cette tâche. La langue est l'hébreu, le mot est Shalom. Aussi je vous dis à tous, camarades : Shalom ! »

Personne ne trouva rien à ajouter.

Dans un crissement de chaises, chacun se leva. Je me trouvai au milieu d'un groupe de jeunes gens, Chase, le fils de Frank Church, les filles de Gavin, Lina et Chloé, et le fils de Rockefeller, Richard. J'entraînai Judith dans la foule qui se dirigeait vers la sortie. Émue, elle m'étreignit le bras. Lina Gavin et Chase Church me dirent : « Maître Pisar, nous aimerions aller avec vous à Babi-Yar. »

Les délégués américains étaient partagés ; certains estimaient qu'il ne fallait pas trop irriter nos hôtes. Officiellement Babi-Yar n'existait pas. S'y rendre pouvait apparaître comme une provocation.

236

Patricia Harris, la seule Noire membre de notre délégation, aujourd'hui ministre du président Carter, parla à haute voix : « Sam a dit que nous devrions aller à Babi-Yar, je l'accompagne ! »

Le sénateur Mark Hatfield a consigné cet épisode, dans une série de remarques qui furent publiées par le *Journal Officiel* du Congrès des États-Unis.

« La conférence était arrivée à un point où il n'y avait plus qu'un échange d'accusations. Puis vint Sam. Au début, c'était terrifiant. Il semblait l'incarnation vivante de l'holocauste. Nous pouvions craindre que les Russes se lèvent et partent. Mais ils ne le firent pas. Aucun d'entre nous ne pouvait se tromper sur la spontanéité de cette intervention et personne n'avait jamais entendu de tels propos. Ils bouleversèrent profondément toute l'assistance. A la fin nous étions devenus des frères. »

Après la séance, nous demandâmes un bus et l'ensemble de la délégation américaine arriva à l'orée d'un bois puis poursuivit en marchant jusqu'à une clairière.

Comme Evtouchenko l'avait décrit, il n'y avait pas de monument à Babi-Yar, rien qui rappelât l'ignoble forfait et les victimes ensevelies sous les bouleaux récemment plantés.

Notre guide russe parlait d'une voix hésitante, les yeux baissés, en expliquant que les cent mille victimes, hommes, femmes, enfants rassemblés à cet endroit par les nazis, avaient été contraints de creuser leur propre tombe avant d'être abattus. Elle parlait encore quand un autre bus arriva.

L'impensable se réalisait : tous les membres de la délégation soviétique en descendirent, silencieux. Il y avait Korneichuk, nu-tête ; Polevoy à la longue moustache. Je croisai son regard et j'eus l'impression d'y apercevoir un signe : je n'aurais pu dire de quelle espèce, mais ce n'était pas de l'hostilité. Il y avait Arbatov, l'américaniste ; Youri Joukov, éditorialiste de *la Pravda* ; Fedorov, le grand scientifique — tous la tête inclinée, le chapeau à la main, écoutant dans un silence recueilli le guide poursuivre son récit.

J'ai observé que les événements qui bouleversent le plus la vie des gens, sur le moment, ne sont pas des données aussi fondamentales que le mariage, l'amour ou la naissance d'enfants, mais ceux qui les prennent par surprise. D'une certaine manière c'est ce qui s'était produit.

Je fus profondément touché par l'arrivée des Russes. Il était saisissant de penser qu'un simple appel à la décence et au sentiment avait pu ébranler suffisamment ces idéologues endurcis pour les convaincre de dépasser, un moment, leur aveuglement doctrinaire et de nous rejoindre dans un pèlerinage qui allait à l'encontre de toutes les consignes officielles.

Je sentais maintenant que ma foi dans le pouvoir

238

des échanges et du dialogue pouvait avoir un avenir.

Bien sûr, je n'étais pas dupe. Des incidents isolés de cette nature ne suffisaient pas, évidemment, à changer tout un système. Mais il y avait dans l'âme russe assez de spontanéité pour permettre, au bon moment, une réponse généreuse à une offre généreuse.

La conférence de Kiev, lavée des invectives, reprit un cours normal.

Je me rappellerai surtout, au retour de Babi-Yar, face à ces Russes, mal à l'aise, qui restaient figés dans leur dignité, la présence d'esprit avec laquelle Judith sut briser la glace. Au cours d'une petite croisière sur le fleuve Dnieper, que nos hôtes avaient organisée pour détendre l'atmosphère, elle entraîna la fille d'un ministre soviétique dans une danse folklorique. Nous fîmes tous cercle autour d'elles, frappant dans nos mains en cadence avec les Russes qui s'étaient mis à se détendre.

Je contemplai Judith. Et, après ces heures de tension inouïe, je me sentis le plus heureux des hommes.

11

La limousine noire remontait l'avenue, déserte, vers la porte de Brandebourg. En cette matinée, froide et pluvieuse, de l'automne prussien, la guerre paraissait étrangement suspendue.

Chevaux de frise, panneaux d'interdiction se multipliaient, et contribuaient à créer une atmosphère belliqueuse, de tensions et de précarité.

La voiture s'immobilisa devant une estrade en bois. Je gravis lentement les quelques marches mouillées, j'étais face au plus répugnant des symboles de l'après-guerre : le mur de Berlin.

Spectacle sordide. Mes hôtes allemands, qui m'accompagnaient, attendaient que j'exprime une appréciation, un mot, quelque chose...

J'étais, pour la première fois, dans la capitale du IIIe Reich, pour une conférence en présence de membres du gouvernement ouest-allemand. Les hommes, à mes côtés, quêtaient de ma part le signe d'un soutien humain, de ma condamnation de « l'autre camp » : l'univers communiste. Ils me demandaient, en somme, d'être « un Berlinois » comme l'avait affirmé John Kennedy devant ce mur en 1961. Je ne pouvais pas.

Je n'éprouvais qu'un profond sentiment de malaise. Je n'appartiens pas, autant qu'ils le croient, ou voudraient le croire, à un « camp » contre l'autre. Certes, ma patrie était le monde des démocraties occidentales. Mais l'évolution du continent européen m'imposait un choix idéologique trop rigide, et trop rapide... Mes plaies, mes souvenirs, étaient encore trop douloureux.

J'avais accepté, en moi-même, que l'Allemagne devienne partie intégrante du monde libre, mais j'avais dû constater, en même temps, que les Soviétiques, mes libérateurs, étaient devenus, à leur tour, des oppresseurs. En mon âme et conscience, rien n'était aussi tranché.

Ce mur, si laid, si artificiel, si aberrant, que je regarde, m'est tragiquement familier. Ces barbelés, ces miradors, oui, je les reconnais. Cette cicatrice, creusée là, rappelle bien toute l'absurdité des drames passés.

Le présent est plus complexe que la brutale simplification hitlérienne ; c'est ce qui me sépare de mes hôtes berlinois.

Je songe à tous ces corps fauchés par les Vopos en armes, le long du mur, dont la tâche est d'interdire la liberté : à ces martyrs tentant régulièrement de franchir ce nouveau mur de la haine. Ils rejoignent presque, dans le même sacrifice, tous ceux qui, à bout d'espoir, se jetaient contre les barbelés électrifiés qui clôturaient Auschwitz. Pour eux, oui, c'est presque la même tyrannie, la même mort. Mais je ne suis pas vraiment l'homme qu'il faut pour une telle cérémonie.

Je redescends, silencieux, les quelques marches, et m'engouffre, sans un mot, dans la voiture. Dans le petit matin, les premières manifestations de la vie quotidienne commencent de chaque côté du mur de Berlin.

Le lendemain, j'y suis retourné, seul, traversé de sentiments contradictoires, où la tristesse était mêlée d'un sentiment d'amère victoire.

Les Allemands ont donc maintenant, à leur tour, leur propre mur des lamentations. Un mur sur le modèle de celui qu'ils avaient construit autour du ghetto de Bialystok en ce jour ensoleillé de juin 1941, et qui me retrancha, avec tous les miens, du reste du monde. Ils doivent bien y songer quelquefois. Mais ce n'est pas à moi de leur jeter le passé au visage.

Je songeais, au contraire, au geste de Willy Brandt qui, chancelier d'Allemagne, ancien maire de cette ville déchirée, s'agenouilla face au mémorial juif du ghetto de Varsovie, silencieusement, demandant pardon au nom du peuple allemand ; lui qui, dans un exemple de courage moral et physique extraordinaire, avait endossé l'uniforme étranger pour combattre son pays devenu fou. Il a parlé pour nous tous, et c'est avec lui qu'il nous faut construire l'avenir ; et avec son peuple. Je sais bien qu'il faut continuer de faire un choix.

A douze ans, citoyen soviétique, je rêvais de devenir général dans l'Armée rouge. Alors, j'appartiendrais aujourd'hui à l'autre côté, et je défendrais peut-être ces dogmes qu'aujourd'hui je rejette. Peut-être...

Rêverie sans fin, sur les hasards des choix et des destins qui conditionnent les engagements des hommes. Comme Willy Brandt et tant d'autres ont eu raison de tomber à genoux.

*\
* *

Mon espoir, ma foi, de voir s'instaurer un nouvel équilibre politique et économique, qui surpasse ces réflexes simplistes et belliqueux, n'a pas encore pu se concrétiser.

Aux États-Unis, Richard Nixon avait remplacé la guerre froide par un début de détente. Mais la toile d'intérêts mutuels, que son secrétaire d'État, Henri Kissinger, commençait de tisser, n'avait guère dépassé le niveau des principes.

Quelques négociations d'importance avaient été conclues avec Moscou mais le volume des échanges économiques, scientifiques et technologiques soviéto-américains n'était, en fait, guère supérieur à celui d'il y a cinq ans. Or, déjà, le courant hostile à ces échanges s'amplifiait dans la classe politique américaine.

A l'Est, l'inertie, la méfiance, l'omniprésente bureaucratie, avaient édulcoré, amputé l'ampleur et la portée des projets audacieux qui visaient à établir une véritable intégration entre l'Est et l'Ouest.

Mais c'est encore en Europe que la passivité, et l'esprit de routine, prenaient les formes les plus dangereuses. Ce continent aurait dû devenir enfin cohérent, fort, régénéré, pour cesser d'être ce terrain d'affrontements, de combats douteux. Le marxisme avait fait la preuve, sans retour, qu'il menait à la terreur, et le libéralisme qu'il n'était qu'une jungle.

Cette Allemagne écartelée, que je contemplais aujourd'hui, relevait de la même inconséquence que le nœud tragique qui se forgea, aux appels de la voix du Führer, dans cette ville de Berlin, il y a trente-cinq ans, pour aboutir à l'holocauste.

Mes séjours, mes expériences dans les pays neufs, comme l'Australie ou les États-Unis, m'avaient permis de juger avec plus de clarté les sociétés et les gouvernements de ces nations européennes au passé si prestigieux — et sanguinaire.

C'est pourquoi j'avais été gagné au concept du fédéralisme. Le fonctionnement politique harmonieux que j'avais pu constater outre-Atlantique m'apparaissait comme plein de promesses applicables à une Europe déchirée, depuis des siècles, par le démon pervers du nationalisme.

Nos discussions fiévreuses, passionnées, avec mes condisciples à Harvard, portaient souvent sur ce projet qui nous apparaissait comme l'ambition, par excellence, de notre génération.

Mon installation en France, à la fin des années 50, avait coïncidé avec la signature du Traité de Rome. Je suivais, avec ferveur, l'action de Robert Schuman, de Konrad Adenauer, de Jean Monnet. Il semblait bien, pour la première fois, que l'évolution de l'Histoire s'harmonisait enfin avec la volonté des hommes.

Je m'attendais, dans les mois qui suivirent l'acte de naissance de l'Europe, à assister à l'éclosion, à la mise en place d'organes fédéraux pour concrétiser cette volonté communautaire, et salvatrice.

Je savais que les pays européens seraient condamnés à s'entendre, mais je découvris, assez vite, la précarité de l'édifice. Je mesurais, sur place, quels efforts énormes devraient être accomplis pour dépasser les préjugés, les méfiances, les habitudes, les rigidités, encore si lourdes entre les futurs partenaires, et dont l'ampleur me frappait.

L'angoisse revenait : l'Europe, notre Europe, après avoir suscité les espoirs les plus hauts, ne nous entraînait-elle pas à nouveau vers des déceptions déchirantes, au moment même de réaliser un rêve millénaire, et la plus intelligente des ambitions ?

L'œuvre est jusqu'ici restée inachevée. Sa construction, différée, a provoqué une profonde amertume. Les initiatives restent entravées, freinées, brisées même, souvent par des passions artificielles, des rivalités de politiques intérieures, des égoïsmes, des intérêts à court terme. Tout est encore hésitation, tâtonnement, peur. La démagogie rôde, et corrompt.

Je rencontrais parfois Jean Monnet.

Ce petit personnage à l'allure simple me parlait, dans son bureau de l'avenue Foch, d'une voix lente où chaque mot était toujours pesé, mesuré :

« J'ai la plus réelle sympathie pour " l'Ostpolitik " de Willy Brandt et pour votre démarche, vers " l'intégration économique Est-Ouest ". Mais je

247

me demande s'il ne faut pas consolider, d'abord, la communauté européenne, encore si relâchée. (La voix se faisait plus sourde, le ton plus confidentiel.) Je redoute que le chancelier allemand et vous ne restiez prisonniers... des neiges sibériennes. »

Jean Monnet, visionnaire et bâtisseur du premier empire pacifique, plongé dans les souvenirs, et les pièges, de l'Histoire...

Je lui répondis :

« Je comprends vos craintes. Mais faut-il vraiment sacrifier une priorité à une autre ? Beaucoup pensent que l'Angleterre ne rejoindra pas la communauté. Le peuple anglais est-il prêt à s'engager dans une voie qui risque de mettre en jeu sa grande tradition parlementaire dans un fragile équilibre européen qui a démontré souvent dans le passé ses insuffisances, ses excès ? Vous savez une démocratie aussi solide que celle de la Grande-Bretagne aura réellement du mal à s'associer, en profondeur, à une démocratie aussi convalescente que celle de l'Allemagne. J'ai grandi en Australie, imprégné des garanties du droit britannique, mais aussi, en Europe, à l'ombre des lois racistes de Nuremberg. »

Le visage de Monnet, toujours affectueux, reprenait son masque décidé :

« Malgré toutes vos objections, en partie justifiées,

248

j'ai la certitude, la certitude croyez-moi, que la Grande-Bretagne se joindra au Marché commun.

— A propos des neiges sibériennes, dis-je, je ne suis pas sûr que De Gaulle ait tort. Si nous allons trop vite dans l'unification européenne, nous risquons de nous couper définitivement des pays de l'Est. Ce serait une tragédie pour eux. »

Monnet eut un geste de protestation.

« L'Europe de l'Atlantique à l'Oural ? C'est une utopie absolue. C'est le meilleur des prétextes pour ne rien faire. »

La conversation avait pris pour moi une orientation fondamentale.

J'avais souvent songé que dans le conflit historique qui oppose le monde occidental au monde communiste, ce ne sont pas les installations militaires, si vastes et ruineuses qu'elles soient, qui peuvent ouvrir une voie quelconque, fournir une solution qui ne soit pas absurde.

Je rompis le silence qui s'était établi entre nous :

« Dans les rapports que nous nouons avec le monde communiste, nous devons faire preuve de doigté. Un dialogue entre l'Europe soviétique et la seule Commission de Bruxelles est par trop inégal, et restreint. Nous avons à élaborer une chorégraphie plus complexe. Imaginez, par exemple, un pas de deux entre la France et la Pologne, la Hongrie et la Hollande, la Roumanie et l'Italie, l'Allemagne et la Bulgarie... »

Jean Monnet m'écoutait, la tête maintenant inclinée sur le côté.

« Nous devons considérer les petits pays de l'Europe de l'Est en termes d'unité historique culturelle et économique du continent plutôt qu'en termes de clivage idéologique. Ces états vassaux de l'URSS n'obtiendront jamais une indépendance politique, avouée. L'exemple tragique de Prague est bien là. Mais si nous tissons patiemment des liens industriels, commerciaux, technologiques, humains, culturels, de pays à pays, un ensemble de relations qui deviendront forcément de plus en plus étroites, nous pourrons, à terme, ramener ces nations vers l'Europe occidentale. »

Monnet tranche, en retournant vers ses convictions de base :

« Peut-être... Mais c'est prématuré. Commençons par exister nous-mêmes. C'est loin d'être fait. »

*
* *

Il m'arrivera sans doute toujours, confronté soudain à des drames qui éveillent en moi l'écho de la tragédie passée, de réagir, avant tout, par instinct.

Un matin de 1970, rentrant de Washington, je passe

250

à mon bureau parisien avant d'aller me reposer après une longue nuit de vol.

Ma secrétaire me dit qu'elle venait de recevoir un appel de Jean-Jacques Servan-Schreiber, noté comme urgent.

Cet homme, que je n'avais jamais encore rencontré, m'avait toujours intrigué.

Son indifférence notoire, parfois à la limite de la provocation, pour les règles et les calculs ordinaires de la politique, me séduisait profondément. Personnage de conviction et d'élan, il m'avait impressionné, dès le début, par son livre *Lieutenant en Algérie,* écrit en 1957, réquisitoire audacieux au nom de la cohésion nationale et de la morale de son pays, contre la politique coloniale. Il venait de publier *Le Défi américain,* appel retentissant et convaincant pour une renaissance de l'Europe.

Je le rappelai.

« Trente prisonniers politiques vont être condamnés à mort en Grèce par les colonels. Acceptez-vous de m'accompagner à Athènes pour tenter de les sauver, comme des étudiants exilés à Paris me l'ont demandé ce matin ?

— Bien sûr. Attendez que je regarde mon emploi du temps... En annulant certains rendez-vous, je pourrais être libre au début de la semaine prochaine. Cela vous conviendrait ?

251

— Non. Les nouvelles que viennent de m'apporter les étudiants réclament une action d'urgence. Nous avons un avion qui décole dans une heure et demie !

— Une heure et demie ? Mais je suis absent de France depuis deux semaines, laissez-moi au moins passer chez moi !

— Je vous retrouve à votre domicile dans une heure.

Je refais ma valise et descends attendre dans la rue. Il arrive au même moment. Nous nous serrons la main, pour la première fois. Il prend ma valise et la range dans le coffre de sa voiture. Nous filons, côte à côte, vers le Bourget. Je suis assis à côté d'un personnage décidé et silencieux, dont en vérité je ne sais rien.

Le petit biréacteur décolle du Bourget vers Athènes. Nous sommes accompagnés d'un grand savant, le Pr Leprince-Ringuet, et de deux héros de la France Libre, le Pr Paul Milliez, chef d'un réseau de résistance intérieure, et le général de Bénouville, Compagnon de la Libération.

Je comprends pourquoi ces personnalités participent à cette mission. Mais savent-ils pourquoi je suis avec eux ? Ils pensent simplement que je suis un avocat, un négociateur habitué à évoluer dans des situations diplomatiques complexes, comme celles qui nous attendent.

Dans l'hôtel du centre d'Athènes, où nous sommes descendus, mes compagnons évoquent à voix basse, par phrases laconiques — en attendant l'appel téléphonique du Premier ministre, le colonel Papadopoulos — la fatalité qui semble peser sur le peuple grec : l'occupation nazie, la guerre civile de 1947, réprimée de façon terrible.

Je les écoute, quelque peu en retrait. Milliez semble s'apercevoir de ma réserve et dans un réflexe courtois tente de m'associer à la conversation.

« Évidemment, durant les heures sombres où la croix gammée flottait sur l'Acropole, vous étiez beaucoup trop jeune, et très loin de l'Europe. Ces événements vous parvenaient-ils jusqu'en Amérique ? »

Je regarde tour à tour ces hommes prestigieux et, sans commentaire, j'accomplis un geste presque indécent que je ne m'étais jamais autorisé : je relève la manche de ma chemise et je leur montre le matricule tatoué à Auschwitz.

Ils restent sans voix. Nous sentons que nous sommes tous devenus des résistants grecs. Jean-Jacques Servan-Schreiber ferme les yeux... Puis il rompt le silence : « Messieurs, nous avons beaucoup de travail devant nous. » Le mobilisateur.

A partir de cet instant nous formons une équipe étroitement soudée. Tout au long de cette aventure, nous ne cessons de parler de Mikis Theodorakis, ou de Manolis Glezos, ce tout jeune homme qui, en 1944, grimpa jusqu'au sommet du Parthénon pour arracher, en plein jour, le drapeau nazi.

Vingt-six ans plus tard, il gisait dans une cellule, torturé par ses propres compatriotes, comme il l'avait été par les mêmes bourreaux que moi.

Nous avons négocié jour et nuit avec les chefs de la Junte militaire.

Discussions bien inégales, presque inconscientes : nous étions tout à fait isolés. Car si l'intelligentsia occidentale manifestait une réprobation unanime du régime des colonels, l'idée que des actes concrets pourraient être accomplis en faveur des victimes de la dictature ne leur venait pas à l'esprit.

Pour nos maîtres penseurs, il s'agissait simplement d'ajouter, à intervalles réguliers, leurs noms au bas de pétitions qui finissaient dans les corbeilles à papier des ambassades grecques. Leur volonté de rester cantonnés dans une pureté, qui n'est pas à la mesure de l'homme, s'accommodait très bien de l'indifférence aux tragédies quotidiennes.

Durant ces journées tendues, j'avais à l'esprit le contraste, l'opposition violente entre l'Europe du Nord, composée de régimes démocratiques, et les États du Sud, l'Espagne, le Portugal, la Grèce, constitués de dictatures pesantes qui imposaient le silence et la résignation.

J'avais vérifié de trop près les excès du nationalisme le plus délirant pour ne pas ressentir avec angoisse la « tentation totalitaire », qui semblait habiter en permanence ces régions.

Athènes m'apparaissait comme le rappel un peu coloré, un peu moins dramatique, de la tragédie passée, la preuve tangible comme à Madrid ou à Lisbonne, que rien n'était définitivement écarté, que tout pouvait recommencer. Comme à Rome, à Paris, à Ankara...

Le but de Jean-Jacques Servan-Schreiber, par ce voyage, était donc un acte politique. Si isolée soit-elle, sa démarche tendait à faire sentir concrètement la solidarité de l'Europe démocratique envers les peuples bâillonnés du continent. Je partageais cette analyse.

Comme tous les tyrans, les colonels ne souhaitaient pas qu'on leur fît une publicité excessive. Ils s'engagèrent auprès de nous, surpris par notre « débarquement », à ne pas exécuter les condamnés. Mikis Theodorakis, le célèbre compositeur, symbole de la résistance, miné en prison par la tuberculose, fut libéré pour partir avec nous.

Mais sa femme et ses deux enfants étaient gardés en otages pour s'assurer de son silence.

255

C'était une situation inacceptable.

Nous décidâmes de téléphoner à Jackie Kennedy. Je la connaissais depuis l'époque où j'avais travaillé à Washington. Si nous voulions réussir, toute aide serait précieuse. Aristote Onassis envoya son hydravion à l'aéroport d'Athènes pour nous amener à son île de Skorpios.

Sur le quai, juste à côté de l'imposant yacht *Christina,* le célèbre couple nous attendait, aux portes de son royaume.

Pour le court trajet qui conduisait à la superbe villa, Onassis fit monter mes amis dans une jeep tandis que sa femme me demandait de l'accompagner dans une autre voiture et de prendre le volant.

En roulant, j'observai le lieu.

Skorpios au soleil couchant apparaissait comme le cadre somptueux de l'égoïsme absolu, et d'une mythologie dérisoire.

« Jackie », dis-je. Je m'aperçus qu'il m'etait impossible de l'appeler madame Onassis.

Je la contemplais et je cherchais le reflet de cette jeune femme rayonnante que j'avais vue, à Washington, ouvrir le bal, le jour même où John Kennedy devenait président de la première puissance mondiale.

« Vous ne pouvez pas rester dans ce pays, vous, la mère de Caroline et de John, alors que ce régime garde en otage beaucoup de prisonniers, dont la femme et les deux enfants de Theodorakis.

— Je vous comprends, mais que puis-je faire ?

— Vous n'avez sûrement pas oublié le numéro de téléphone de la Maison-Blanche ? Appelez le président Nixon et demandez-lui d'intervenir auprès des colonels. Appelez le ministre de la Défense, Melvin Laird ; c'est lui qui fournit à la Grèce tout son équipement militaire. Ils l'écouteront. »

Elle me regarda avec un sourire attristé.

« Vous savez, depuis toutes ces années, je ne crois pas avoir beaucoup d'influence à Washington. »

Songeuse, elle fixa la magnifique demeure qui apparaît au détour d'un virage, avant d'ajouter :

« Je ne suis plus qu'une exilée... Mais ne vous inquiétez pas, Ari aura des idées sur ce qu'il faut faire. »

Ari, Aristote Onassis, nous reçoit, enjoué.

Cependant la fougue du plaidoyer de Jean-Jacques Servan-Schreiber ne le touche guère. Il est tout à fait décidé à ne pas se départir d'une attitude de stricte neutralité. Trop d'intérêts entraient en ligne de compte pour qu'on puisse l'inciter à agir.

Jackie l'entraîne à part. Je la vois lui parler de manière animée et même avec une réelle passion. Onassis, après l'avoir écoutée, hoche la tête dans un geste d'apaisement.

Il apparut que notre démarche était vouée à l'échec. Jackie le sentit aussi. Visage fermé, silhouette tendue, écoutant les réponses évasives de son mari, elle se replia.

Elle avait accueilli notre initiative avec sympathie, mais elle reflétait l'impuissance. Onassis n'était que calculs. Il avait seulement tenu à être poli.

En quittant la villégiature de l'armateur, je songeais au contraste brutal entre l'oppression dont souffrait le peuple grec, bâillonné, et à quelques miles ce cadre insolent par sa beauté et par l'indifférence dont témoignait son propriétaire.

A la fin, quelques semaines plus tard, Mme Theodorakis et ses deux enfants furent libérés, en plein cœur d'Athènes et ramenés à Paris, par une opération de commando, d'une précision remarquable, menée par une toute jeune femme, aussi intrépide que belle, Marie-Bernadette Raimbault, mère, elle aussi, de deux enfants, architecte au talent aujourd'hui reconnu en Europe.

Sept ans plus tard, je suis invité à un débat au pied de l'Acropole. Le thème en est... l'avenir de la démocratie. Avec moi, au milieu de l'ancien amphithéâtre Hérode Atticus, Sean Mac Bride, fondateur d'Amnesty International, l'archevêque rebelle brésilien Dom Helder Camara, Mario Soares, Premier ministre d'un pays qui émergeait enfin d'une longue nuit de tyrannie, et d'autres leaders européens.

Manolis Glezos venait de mourir, victime d'un attentat. Mais la Grèce, l'Espagne, le Portugal, avaient l'un après l'autre, retrouvé la liberté.

*
* *

Cet épisode mouvementé constitua, en vérité, ma première intrusion dans la politique européenne.

Avec la France, où je vis, j'ai des liens profonds, passionnés, qui sont une part indissoluble de mon être. Mes trois enfants, depuis leur naissance, sont profondément imprégnés par sa culture et sa civilisation.

J'ai aussi, envers la France, bien des réminiscences affectives : les conversations à Bialystok au sein de ma famille, profondément francophile, ma découverte du Paris de l'après-guerre. Rien de ce qui atteint ce pays ne me laisse indifférent.

Or, ayant pu observer les relations faciles, normales, entre adversaires politiques, en Australie, en Grande-Bretagne, aux États-Unis, j'étais frappé par l'agressivité et l'ampleur des divisions au sein de la politique française. Il me semblait finalement que, dans ce pays, s'affirmer de droite ou de

259

gauche, c'était seulement deux manières de s'accrocher au passé, d'être conservateur.

Je pouvais pour ma part entretenir les meilleures relations avec les leaders des différentes tendances de la vie publique française.

Je me sentais très à l'aise aux côtés de Michel Rocard, dans un débat portant sur le socialisme et l'économie devant un millier d'étudiants ; débat au cours duquel nous sommes arrivés, avec beaucoup de franchise de la part de Rocard, à une conclusion commune : « En tout cas les pays de l'Est ne fournissent aucun modèle au socialisme français. » A l'aise aussi, avec Jacques Chirac dans une conversation privée comme dans une émission consacrée à l'avenir de la ville de Paris.

Avec Judith, qui fait renaître le centre culturel américain à Paris, nous prenions un malin plaisir à mélanger, dans nos invitations, les rivaux politiques. Eux aussi paraissaient ravis de l'environnement. Il s'établissait entre nous une complicité subtile : nous étions d'innocents Américains qui, par ignorance sûrement, ne respectaient pas les frontières et les milieux. Eux étaient de trop parfaits produits de la courtoisie française pour s'en offusquer.

Quelle satisfaction, et quel souvenir, de voir par exemple Pierre Mendès France et Michel Debré dialoguer, avec une chaleur amicale, dans notre salon...

Notre invité d'honneur, ce soir-là, était Henry Kissinger. L'ancien secrétaire d'État, qui avait symbolisé avec brio la diplomatie américaine des dix dernières années, partageait mes préoccupations sur la vulnérabilité politique de l'Europe occidentale, et de la France en particulier. Il arrivait dans une période dramatique, peu avant les élections générales de mars 1978, au moment où le monde attendait le verdict des Français.

Françoise Giroud en conversation prolongée avec Jacques Attali. Simone Veil discutant avec Pierre Uri. Ce n'était pas banal, et surtout pas décourageant : quel pays, et quelle richesse !

Quand on pense à ce que représente, aujourd'hui, d'autorité et d'influence Simone Veil, sortie comme moi de l'enfer d'Auschwitz, et dont le visage et le dialogue traduisent apaisement et confiance, on ne peut que croire à la sincérité de ses convictions.

Peu à peu, au cours de la soirée, une réalité européenne, plus nuancée, apparaissait à Kissinger.

Elle prenait en compte les hommes, les individualités. La réunion lui révélait que, dans cette France, dont dépend l'Europe, le dialogue n'était pas mort et que rien, pas conséquent, n'était encore irrémédiable.

Kissinger, à la fin, me confia au moment où je le

raccompagnai jusqu'au petit square où l'attendaient ses gardes du corps.

— Tout cela fournit quelques raisons d'espérer que ce remarquable pays ne basculera pas dans le chaos.

* *
*

A un moment crucial de la vie politique française, je fus, en partie par hasard, le lien qui permit aux deux esprits politiques français que je considérais comme les plus complémentaires de trouver un terrain d'entente.

Les deux livres que j'avais publiés en France avaient été préfacés l'un par Valéry Giscard d'Estaing, l'autre par Jean-Jacques Servan-Schreiber. Les deux hommes se connaissaient depuis trente ans, depuis l'École Polytechnique ; mais le retour au pouvoir du général De Gaulle, en 1958, les sépara.

Giscard rejoignit immédiatement le nouveau président et entama méthodiquement sa carrière ; tandis que Jean-Jacques Servan-Schreiber refusait cette politique et s'engageait dans un long combat solitaire.

Leurs ambitions pour la France étaient, à mes yeux, pourtant très proches. Rompre avec les attitudes héritées du passé et faire de leur pays une société moderne, adaptée aux rudes défis de l'avenir ; c'est ce qui, forcément, les rapprochait. Et d'ailleurs, dès que Valéry Giscard d'Estaing fut « remercié » du gouvernement, en 1965, il reprit sa relation régulière avec Jean-Jacques Servan-Schreiber. Ils dialoguaient fréquemment sur les défis de l'avenir. Par exemple, j'ai trouvé le manuscrit du *Défi américain* dans la bibliothèque de Giscard, annoté de sa main.

En 1974, ce n'était plus un secret pour personne, le président Pompidou, ravagé par la maladie, arrivait au bout de sa lutte contre la mort. J'étais certain que Giscard d'Estaing se porterait candidat à la présidence, le moment venu.

Face à lui, Servan-Schreiber, qui avait, dès 1971, comme président du Parti radical, refusé l'alliance avec les communistes, pouvait devenir un allié déterminant, ou un adversaire difficile.

Je raisonnais avec optimisme, et amitié. Si les deux hommes avaient pu être unis par des analyses communes dans mes livres, ils pouvaient trouver une entente politique, de fond, s'ils en avaient l'occasion. Il fallait que quelqu'un prît l'initiative ; car l'appartenance, de nouveau, de Giscard aux gouvernements de Pompidou, l'avait éloigné de Servan-Schreiber.

Je n'ai pas l'illusion de croire que mes bons offices, qui aboutirent à un dîner détendu et un échange approfondi chez moi ont influencé l'élection présidentielle. D'ailleurs, ils ne sont pas tombés d'accord. Mais le fil était renoué et c'est un fait que si Jean-Jacques Servan-Schreiber n'avait pas jeté son poids politique, et celui du centre-gauche, en faveur de Valéry Giscard d'Estaing, celui-ci n'aurait pu obtenir, de justesse, sa victoire.

Aujourd'hui, l'avenir de la France dépend de nouveau, pour une bonne part, de l'entente intellectuelle entre des hommes de cette trempe, de toute tendance, sur le fond de l'attitude à prendre devant des échéances qui se précipitent, dans une période d'austérité économique, face à une compétition mondiale acharnée.

*
* *

Quelques jours après mon retour d'Auschwitz, je dînais avec François Mitterrand. Judith, qui ne cachait pas son admiration pour le leader socialiste, lui demanda ce qu'il avait pensé du pèlerinage.

« Il est essentiel que la jeunesse sache, répondit-il. A Auschwitz, Giscard parlait vraiment, là, au nom de toute la France. »

J'étais content de cette appréciation généreuse, non seulement parce qu'elle me rassurait sur la nature apolitique de l'événement mais aussi parce que j'avais travaillé, avec Lionel Stoléru, si érudit et si moderne, à la préparation des éléments pour l'allocution présidentielle.

En effectuant ce travail délicat, complexe, nous avions eu, Lionel Stoléru et moi, un souci qui recoupait les propos de François Mitterrand : nous

264

voulions un discours rédigé et perçu, au-delà de toute politique ordinaire, comme un appel de la France à l'humanité.

A Auschwitz, où les miens avaient été anéantis, Valéry Giscard d'Estaing eut, pour une fois, l'occasion unique de tout dépasser, même les ambiguïtés, souvent pénibles, de la diplomatie du pétrole.

12

Je croyais qu'après la publication de mes thèses, je retournerais normalement à la vie studieuse, et régulière de Paris et d'Authon.

En réalité, tout se déclencha. Je fus amené à voyager fréquemment, en consultation auprès des dirigeants industriels, ou des banquiers. Mes idées et mes espoirs prenaient corps.

Les chefs d'entreprise, les leaders politiques voulaient en discuter en privé, et en public. Il aurait été inconséquent de refuser.

C'était, pour la première fois, une action presque politique.

De quel droit, par quel mandat ?

Je ne m'arrêtais pas à de telles considérations. Ma vie, après tout, pouvait légitimer une telle action.

Si je pouvais mobiliser les responsables dont dépendaient au jour le jour les voies de l'avenir, c'était mon devoir, et ma vocation.

Je fus invité par Henry Ford à passer un long week-end dans sa propriété de Grosse-Point, dans le Michigan.

Le grand patron de l'empire automobile de Detroit m'apparut, dès l'arrivée, comme un personnage ouvert, simple et chaleureux mais qui commençait à être assailli de doutes quant au bien-fondé de son activité.

Poursuivant la stratégie de son grand-père, qui avait installé une chaîne d'automobiles en Russie, dès 1924, il envisageait, à la demande des Soviétiques, la construction de la plus importante usine de camions, jamais réalisée, sur la rivière Kama.

Mais le Pentagone venait d'y opposer son veto.

Le gouvernement des États-Unis, enlisé dans les marécages du Vietnam, redoutait que les camions Ford produits en URSS ne se retrouvent sur la piste Ho Chi Minh et ne contribuent puissamment à l'effort de guerre nord-vietnamien.

Cette déception inattendue, et aux multiples conséquences économiques, morales, personnelles, semblait avoir lézardé plus profondément encore l'univers psychologique de Henry Ford.

« Vous comprenez, dit-il, jusqu'à présent nous allions au Massachusetts Institute of Technology, à Harvard et dans les autres grandes universités, et nous prenions les meilleurs étudiants. Ils étaient fiers de venir travailler pour nous. Aujourd'hui, la plupart refusent. Ils nous disent avec mépris : " Nous ne voulons pas collaborer avec vous. Nous n'aimons pas ce que vous représentez. " »

L'action vigoureuse, parmi d'autres, de Ralph Nader, mon condisciple à l'école de droit de Harvard, avait déterminé un changement radical de mentalité dans la jeunesse américaine, en même temps que le cancer vietnamien.

Henry Ford me regardait, découragé.

« Que va devenir ma société ? Quel est l'avenir de l'Amérique ? »

Comme tant de businessmen, il espérait que je lui fournirais une réponse. Il l'espérait comme patron, et il l'espérait comme père.

Je constatais, chaque fois, que les rapports entre les générations étaient devenus conflictuels, et souvent dramatiques. La jeunesse se détournait d'un monde productiviste, qui paraissait sans âme, ni génie.

Ford, pas plus que ses rivaux comme General Motors, n'avait depuis vingt-cinq ans effectué de découverte majeure. Leurs seules audaces et trouvailles résidaient dans la grosseur des pare-chocs ou la couleur des jantes. Rien d'exaltant.

Les grands managers actifs, dynamiques, n'avaient ni le temps ni le goût d'acquérir ou d'approfondir une vue du monde. La dérive s'accentuait.

Ainsi les réelles réussites financières et professionnelles que je pouvais observer de près se payaient, le plus souvent, d'un échec humain.

Ces grands managers, que je rencontrais sans cesse, étaient devenus maintenant, dans les années 70, des hommes reniés par leurs propres enfants.

Leurs fils les rejetaient. Ces hommes ne pouvaient espérer qu'une atmosphère lugubre, lorsque leur famille, pour ceux encore qui avaient la chance qu'elle reste au foyer, se rassemblait pour le petit déjeuner. Les fils et les pères se regardaient en adversaires. Leur société, dans ces conditions, n'avait, tout simplement, aucun avenir.

L'ennemi extérieur n'était qu'un alibi. Le conflit réel, empoisonné, était à l'intérieur : entre les jeunes et leurs aînés.

Dans l'autre camp, à l'Est, les Russes pouvaient-ils être sûrs qu'en cas de conflit les jeunes Tchèques, Polonais ou Hongrois, feraient preuve d'une discipline sans faille et tourneraient sans réticence leurs armes vers l'adversaire de l'Ouest ? Ils savaient que non ; et certains de leurs dirigeants ne me l'avaient pas caché.

La réaction anti-idéologique de tous ces jeunes était profondément saine. Mais elle exigeait une lucidité qui abolissait toutes les illusions.

Mon souvenir s'arrêta sur ce soldat russe qui allait être pendu au centre du camp d'Auschwitz, devant l'ensemble des détenus, pour avoir tenté de s'évader.

Au moment où on lui passait la corde autour du cou, il bouscula ses gardiens, quelques secondes, et réussit à crier : « Staline et la liberté vaincront ! »

Le geste était aussi beau et saisissant qu'absurde. Mais c'était un acte au sommet du courage et de la foi. En moins d'un instant, les SS furent sur lui et lui coupèrent la langue. La suite fut impensable.

Transformé en pantin mutilé et saignant, le malheureux, avec l'énergie du désespoir absolu, s'élança les deux pieds en avant, de la pointe de ses sabots frappa l'officier SS en pleine mâchoire et retomba pendu.

Connaissait-il la vérité sur Staline ? Certainement pas. Comme les centaines de milliers de ses camarades, tombés à Stalingrad, une ville qui ne porte même plus ce nom. Son acte de foi avait aidé ce jeune homme à mourir, mais grand Dieu, pour quelle cause ? Et faut-il que tout engagement finalement, se confonde avec une illusion, que toute mystique débouche sur une mystification ?

Le soldat noir qui me sauva, en m'arrachant de la fusillade, et en m'engouffrant dans son tank, près de Dachau, était venu sauver l'Europe. Son fils fut envoyé au Vietnam, vingt ans plus tard, pour la même cause : la défense de la liberté. Il en revint meurtri, amer, à jamais marqué par une guerre « sale ».

Et maintenant le Vietnam décolonisé, libre, « petit pays fier et courageux », luttant contre l'impérialisme le plus « barbare », hante les nuits des jeunes intellectuels occidentaux par la terreur qu'il fait régner à l'intérieur et par son brutal impérialisme à l'extérieur. La révolte si vivifiante de la jeunesse des États-Unis contre Johnson, puis contre Nixon, avait porté sur les fonts baptismaux des régimes qui se révèlent comme le summum du totalitarisme.

Les idéaux qui nous mobilisent ne seraient-ils plus que des marchés de dupes ?

La jeune génération d'aujourd'hui n'a plus le culte des grands hommes ni le goût des mausolées.

Elle voit, elle sait, que notre époque ne peut plus prétendre à aucune grandeur ; que le sens de l'État est une notion mensongère, une nouvelle manière de coloniser les esprits.

Elle voit, elle sait, que derrière les attitudes publiques affichées se cachent, sans scrupule, des pratiques occultes et douteuses : lois transgressées, fonds publics détournés, élections manipulées, double langage permanent.

1968 a été la première expression, pour la nouvelle génération, d'une psychologie et d'une solidarité transnationales.

Véritable rouleau de dynamite, déroulé autour de la planète, cette contestation secoua des régimes aussi divers que celui du Mexique, néolibéral, de la Yougoslavie socialiste, de la France, du Sénégal occidentalisé, ou de l'Allemagne fédérale.

Dans les rues de Prague, cette jeunesse chassa un personnel politique discrédité. Ayant conquis les trottoirs de Chicago, face au siège de la Convention du Parti démocrate, elle brisa l'engagement de l'Amérique au Vietnam, et l'extension des conflits raciaux. A Paris, son long cortège longea l'Assemblée nationale sans un geste et sans un cri, avec la réserve que l'on s'impose en passant devant un monument funéraire.

Partout le pouvoir se diluait. Sous quelle forme reviendrait-il ? Les jeunes Américains ont bel et bien mis fin à une guerre puis au mandat des deux présidents discrédités. Ils ont joué, et continuent de jouer, un rôle croissant dans l'évolution de la vie publique de leur pays. Devenus hauts fonctionnaires, leaders économiques ou politiques, ils sont à pied d'œuvre pour la régénération des États-Unis.

En Europe, leurs frères et sœurs ont eu moins de chance. Ils demeurent bafoués, ignorés, exilés de l'intérieur.

Quant à ceux du Tiers Monde, et à ceux de l'Est, ils ne furent que l'instrument d'une lutte cynique pour le pouvoir.

J'entends maintenant souvent qualifier la jeunesse d'apathique. Elle manifeste, simplement, sa profonde aversion de l'utopie, son refus d'être dupe.

Elle est condamnée à la lucidité, comme jamais auparavant. Tant d'idéaux ont fait faillite... Notre société qui a engendré le fascisme, le stalinisme, le colonialisme, et la religion de la Bombe, ne peut plus prétendre mobiliser sa jeunesse. Il y a rupture.

Cette jeunesse comprend clairement que nous sommes entrés dans une ère d'incertitude où toutes nos stratégies de développement, ou de « défense », ou de création et d'organisation, doivent être repensées.

Les adolescents, nos enfants, ne supportent plus d'évoluer dans un monde où évoquer l'extermination de l'humanité est devenu la platitude des dîners en ville, mais où personne ne songe sérieusement à agir. Les jeunes, tous les jeunes, nous disent : « Jamais plus vous ne pourrez nous manipuler. Désormais nous sommes sur nos gardes. L'ennemi c'est peut-être vous. »

Je ne cesse de dialoguer avec ces jeunes gens et jeunes filles en révolte, à Copenhague, à la Sorbonne, à Chicago, à Hambourg, à San Francisco... Quelle mission est plus importante ?

En contemplant ces visages tendus, en les écoutant exposer avec gravité, avec sincérité, leurs espoirs, leurs engagements, je pressentais, depuis plusieurs années, que le malaise de cette jeunesse s'amplifierait encore quand elle s'apercevrait que la société n'envisage son avenir que sous le sombre aspect d'une immense armée de chômeurs. Vingt ans et pas d'embauche.

Face à cette réalité amère, beaucoup semblaient prêts à s'abandonner aux illusions de l'engagement idéologique. Je tentais de leur parler franchement sur ce qui devait leur apparaître, de loin, comme une nouvelle frontière.

« Il faut que vous sachiez qu'à Pékin, à Moscou ou à La Havane, qui sont encore les capitales spirituelles de beaucoup d'entre vous, les héritiers de Mao ou de Lénine n'en sont plus à la révolution mondiale mais rêvent des managers, des techniciens, des

275

banquiers occidentaux. Leurs héros, ce sont vos pères !

*
* *

Une vérité domine le nouvel horizon qui s'offre à notre planète. Nous assistons à une mondialisation de l'économie, animée par sa logique propre et de plus en plus indépendante d'États nationaux, morcelés, dont l'action devient dérisoire. Comment s'en servir ?

Tout un monde ne demande qu'à être conquis. Non plus par la force militaire, inutilisable. Ni par la passion idéologique, qui se brise sur l'impossibilité de croire. Mais par les armes pacifiques de l'organisation humaine de l'économie et de l'invention.

Les grands dirigeants industriels de l'Occident que j'ai maintenant appris à bien connaître, dans leurs talents comme dans leurs limites, sont découragés par les critiques, et la conquête de nouveaux marchés leur est de plus en plus difficile. Leur dynamisme est miné.

Dans nos réunions de travail, je m'emploie à leur faire entrevoir les gigantesques possibilités que recèlent la Sibérie, la Chine, l'Amazonie — tous ces nouveaux Far West.

« Le jeu économique a pris le pas, historiquement, sur la religion, sur la politique ou sur l'épée. Vous êtes la force créatrice. Et sur des questions aussi

276

cruciales que les problèmes de l'énergie ou de la pollution, vous êtes pratiquement les seuls capables d'offrir des solutions. Voilà le champ de vos défis. Vous avez l'intelligence, le dynamisme nécessaire, et de plus vous n'êtes pas des idéologues stériles. »

Je tente d'esquisser, devant ces personnages actifs, volontaires, un cadre mondial, un contexte moral, qui leur permette d'accomplir une action constructive qui emporterait l'adhésion des générations futures.

A l'Est, et à l'Ouest, je préside plusieurs conférences internationales. J'invite à Vienne le célèbre Pr Nicholaï Lubimov qui fut l'assistant de Lénine. Avec ce personnage pétillant, je dialogue en russe, en citant Pouchkine ; il me répond en allemand, en se référant à Goethe. L'assistance est aux anges, sauf les membres du KGB, toujours présents au sein de chaque délégation soviétique et qui semblent considérer que le vieux bolchevik se laisse entraîner sur une pente curieusement bourgeoise.

A Budapest, j'invite le puissant sénateur américain Abe Ribicoff, qui préside la Commission du commerce extérieur du Sénat. Sachant que dans ce domaine rien n'est possible aux États-Unis sans l'accord du pouvoir législatif, je lui demande de définir l'attitude du Congrès envers cette coopération économique qui s'instaure.

La paix dépend tout entière de la convergence entre les deux systèmes, en tissant une véritable intégration d'industrie à industrie, d'entreprise à entreprise, d'homme à homme.

Quelles que soient les idéologies officielles, je vérifiais par mes contacts professionnels que les hommes qui se trouvent de chaque côté sont les mêmes. Leur formation technique, leurs tâches sont semblables, leurs ambitions et leurs aspirations professionnelles presque comparables.

Quand Khrouchtchev ou Brejnev prononcent un discours sur la place Rouge, ils continuent de se référer à tous les dogmes du marxisme-léninisme. Mais quand le chef d'une entreprise doit remplir un plan économique, construire une usine ou ouvrir une mine, il réagit en pragmatique. Ce n'est pas l'idéologie qui le préoccupe. Il trouve des subtilités pour ne pas offenser la doctrine mais l'affaire se fait.

De même, en Chine, tout responsable d'un combinat, d'un complexe sidérurgique avait dû ressentir dans l'instant, l'irréalisme, l'absurdité des propos de Mao-Tsé-tung qui, à l'occasion du Grand bond en avant, demandait à la population de construire des hauts fourneaux dans les arrière-cours.

A mesure que ma thèse progressait, je subissais chez moi, à la table du petit déjeuner, une perte visible de crédibilité. Mes enfants me reprochaient les vacances que je devais passer avec eux, et qui étaient si souvent annulées. Ils me considéraient avec un mélange de condescendance et d'ironie :

« Nous savons que tu préfères accomplir la tournée de tes adeptes. Tu te prends pour un gourou. »

Je ressens ma démarche comme un pari lucide sur l'avenir, malgré les spasmes, les résistances, les arrière-pensées, que je rencontre à chaque pas.

A Moscou, avec des dirigeants d'entreprises européennes et américaines, je rencontrais souvent des managers occidentaux qui arrivaient avec la même conviction que des missionnaires valeureux. N'étaient-ils pas les instruments inconscients d'une politique où les Russes essaieraient de séduire le monde des affaires pour tenter d'infléchir en leur faveur les positions politiques de l'Occident ?

Avec mes interlocuteurs communistes, je tentais aussi de nuancer leur vue trop strictement marxiste selon laquelle l'infrastructure économique déterminerait la superstructure politique. Je leur soulignais la complexité, le foisonnement des sociétés démocratiques pour démontrer que si grande soit l'influence des leaders de l'industrie capitaliste, il y a un seuil de pouvoir qu'ils ne pouvaient dépasser. David Rockefeller, président de la Chase Manhattan Bank, Paul Austin, président de Coca-Cola, ou Armand Hammer, président de l'Occidental Petroleum, ne sont pas omnipotents face à l'expression d'une volonté ou d'un refus populaires, qu'ils émanent du Congrès, de la jeunesse ou des mouvements écologistes. L'amendement du sénateur Henry Jackson, qui subordonnait le développement du commerce soviéto-américain à la liberté d'émigration des juifs soviétiques, en était une illustration éclatante. Jeune officier, Jackson avait participé à la libération du camp de Bergen-Belsen. Il en était resté marqué à jamais.

A l'Ouest, mes adversaires se retrouvaient en nombre égal parmi les milieux conservateurs ou libéraux.

J'avais longtemps discuté, dans un débat publié simultanément à travers l'Europe par les quotidiens *Le Monde, Die Welt, La Stampa* et *Times,* avec le célèbre syndicaliste Charles Levinson.

Partisan d'une stratégie syndicale au niveau multinational qui puisse lutter contre le pouvoir des grandes firmes, mon interlocuteur se transformait en procureur impitoyable, et dressait, contre moi, un acte d'accusation rigoureux. Selon lui, la percée économique à l'Est, que je préconisais, n'aboutirait qu'au renforcement des régimes autoritaires avec la complicité des grandes entreprises occidentales qui y trouveraient le moyen rêvé de nouveaux bénéfices.

Je tentais de le convaincre que sa position faisait le jeu des éléments les plus conservateurs, ceux qui récusent toute conciliation idéologique, et les plus favorables au protectionnisme.

Alors la critique de Levinson s'élevait et s'élargissait : « Ils travaillent avec tous les régimes. On les retrouve dans le Chili de Pinochet, l'Espagne de

Franco, et aujourd'hui dans l'Est communiste, comme autrefois ils approvisionnaient l'Allemagne hitlérienne et notamment son plus éclatant symbole, le trust chimique nazi IG Farben. »

Levinson savait qu'il me visait au cœur.

IG Farben symbolisait toutes les perversions qui pouvaient découler d'une alliance entre les dirigeants d'une grande société capitaliste et un pouvoir totalitaire.

Depuis sa création, au début du siècle, IG Farben était un modèle d'efficacité, d'innovation, de réussite industrielle, avec des managers responsables et créatifs, et plusieurs lauréats du prix Nobel. Et soudain, le naufrage, la nausée. Ce même IG Farben, sur sa lancée aveugle, en collusion avec le pouvoir politique nazi, construisit à Auschwitz l'usine qui pouvait le mieux utiliser, jusqu'à épuisement de leurs forces, les pitoyables sous-hommes que nous étions devenus. Je le sais, car j'étais destiné à être un de ces esclaves-là.

Plus tard, à Leonberg, enfermé dans mon usine souterraine, j'avais été contraint, à des cadences infernales, de visser les ailes des avions de cette autre merveille industrielle : la compagnie Heinkel.

Étais-je maintenant en train de cautionner une évolution nouvelle vers de pareils errements ?

Je savais déjà que, pour un industriel capitaliste, il

est devenu beaucoup plus facile de s'entendre avec les dirigeants d'un régime autoritaire qu'avec les représentants d'un État démocratique. Le premier peut lui garantir une productivité, une rentabilité, une paix sociale, que le second n'est plus à même de lui assurer.

J'ai même déjà entendu de grands industriels européens me dire qu'il fallait « être fou, à l'heure actuelle, pour vouloir investir dans une démocratie ».

Était-il redevenu possible que la compétition impitoyable entre les firmes, le goût de la hiérarchie, du profit, et de l'ordre, pût aboutir à la lèpre qu'illustrèrent si tragiquement IG Farben et toute la classe industrielle allemande ?

Face à de telles menaces, il fallait des garde-fous, des dispositions, des contre-mesures... Cette tâche incombait normalement à la classe politique. Mais sa fragilité, son irréalisme, sa frivolité, son incapacité à canaliser l'économie, paraissaient la disqualifier pour une si rude mission. Alors ?

Allions-nous assister à un nouveau « meurtre dans la cathédrale », comme celui qui, au XIIᵉ siècle, avait vu Thomas Becket, archevêque de Canterbury, qui représentait l'Église de Rome, force multinationale, assassiné par Henri II Plantagenêt, roi d'Angleterre, qui représentait l'État ?

Mais aujourd'hui c'est la force multinationale de

l'économie qui menace, à l'Ouest, d'assassiner, ou d'asservir, un pouvoir politique déjà émasculé. A l'Est, c'est l'omnipotence de la bureaucratie politique qui étouffe toute initiative économique.

Cette métaphore, et ces craintes, je les ai exposées à Kyoto, l'ancienne capitale impériale japonaise, au cours d'une rencontre avec de jeunes présidents de sociétés venus du monde entier.

Mais je les avais aussi développées, pour la première fois en 1971, devant l'ensemble des managers de la direction générale d'ITT à New York.

Les hommes qui, à cette occasion, m'avaient écouté attentivement, étaient les responsables de cette compagnie multinationale qui joua, peu après, un rôle si indéfendable dans la chute et la fin du président chilien Salvador Allende.

Il me semblait dramatique que le Tiers Monde, détenteur de matières premières, objet de tant de convoitises et de provocations, continue d'être une terre de luttes d'influence, de corruption et de conflits, alors qu'il pouvait devenir un partenaire essentiel pour les pays industriels dans une stratégie commune de développement.

Cette extension des *Armes de la paix* à l'hémisphère sud, je l'avais exposée pour la première fois à Abidjan, en Côte d'Ivoire, puis un an plus tard au cours d'une réunion tenue à Tbilissi, en Géorgie soviétique où j'étais en compagnie de quelques personnalités américaines, dont le sénateur Edward Kennedy.

Je soulignais le rôle que pourrait jouer le Tiers Monde entre l'Est et l'Ouest et les avantages que l'humanité tirerait d'une alliance entre des sociétés privées occidentales et des compagnies étatisées communistes. Appliquée dans les pays en développement, une telle coopération, à partir de firmes « trans-idéologiques », en somme, serait économiquement bénéfique, idéologiquement neutre, et constituerait une grande aventure pacifique.

Ainsi le barrage d'Assouan résultait d'une surenchère diplomatique entre les États-Unis et l'Union soviétique. Aujourd'hui, il est évident que les deux parties auraient moins perdu et l'Égypte gagné davantage si le projet avait été entrepris dans un esprit de coopération trans-idéologique. N'était-ce pas une leçon applicable par exemple en Inde et au Bengla Desh où des centaines de millions de personnes étaient constamment au bord de la famine ?

Un silence glacial accueillit mes propos. Pas un commentaire au sein d'une délégation soviétique qui comprenait plusieurs ministres. Pour eux, admettre cette thèse, c'est reconnaître que la rivalité idéologique, leur « guerre de religion », leur raison d'être, ne recouvrait plus aucune logique.

Quelques jours après, pourtant, David Rockefeller rapporte mes propos à Alexis Kossyguine, le Premier ministre soviétique, et celui-ci ne semble pas particulièrement ému par leur caractère « hérétique ». Il a toujours été le plus pragmatique des dirigeants du Politburo. Plus que tous ses pairs, et que tous ceux de sa génération, il ressent profondément le dilemme posé à son pays, le choix entre l'ouverture ou le repli dans une autarcie idéologique et économique.

Non seulement le Premier ministre russe ne tombe pas de sa chaise mais il trouve l'idée valable et il demande qu'un groupe de travail soviéto-américain soit constitué pour l'approfondir. David Rockefeller me propose d'en prendre la présidence. Voici donc, et concret, un nouvel espoir d'action.

*
* *

Ben arriva à Paris pour passer les vacances de Noël, en 1974, avec nous.

Devenu à Melbourne un homme d'affaires prospère, il a conservé une spontanéité, une chaleur, un franc-parler que je lui envie. Cet homme-là, je n'ai jamais réussi à l'impressionner le moins du monde.

A plusieurs reprises, au cours des années précédentes, il avait séjourné dans la propriété d'Authon, en compagnie de sa famille. Par son allure ronde, ses gestes énergiques et son accent de Bialystok il tranchait avec la solennité du lieu. Ben avait serré avec flegme la main de Valéry Giscard d'Estaing, dîné à une table de famille aristocratique ; sans émoi et même plutôt avec une sorte d'indifférence.

Peu de temps après son arrivée, il insiste pour que nous effectuions une longue promenade dans les bois.

Je regarde cette silhouette enveloppée, ce visage entêté. Il me fixe sévèrement. Et tout à coup m'apostrophe :

« Tu ne crois pas que tu devrais t'arrêter un peu, cesser de t'agiter ?

— Mais c'est important ce que je... »

Excédé, il lève les yeux au ciel.

« Mon pauvre vieux ! »

Inutile de finasser. Je suis face au seul homme qui me connaisse réellement jusqu'au fond de l'être. Il m'examine, bourru :

« Qu'est-ce que tu fais avec tous ces types, ces ministres, ici, en Amérique, un peu partout ? Tu agis, tu parles comme eux. Occupe-toi davantage de ta famille et de ta santé ! Ça, c'est la vérité. »

Je le regarde. Tout devrait, aujourd'hui, nous différencier, nous séparer. En réalité je ne me suis jamais senti aussi proche de lui.

Nous continuons d'avancer, entre les champs et les bois, dans le froid de l'hiver. Il a l'air grave. On dirait qu'il a gardé pour la fin ses observations les plus préoccupantes.

« Mula ! Tu sais, tes histoires, ta théorie avec les Russes, les Chinois, c'est plutôt douteux.

— Mais Benek, nous n'avons pas le choix. »

Il m'interrompt.

« Tu sais, je ne m'y connais pas trop. Mais comment peux-tu savoir où sont les limites ? En Allemagne, par exemple, quand tu as parlé au Bundestag, ou que tu as conseillé des banquiers à Francfort, les types dont tu serrais la main étaient peut-être d'anciens nazis, et même des SS des camps.

— Peut-être. Mais faut-il en rester éternellement au passé, Ben ? »

Du doigt, il me frappa la poitrine.

« Dis-toi bien que ta vie, ton passé, sont ce qu'il y a en toi de plus important, de plus vrai et de plus fort. A force de mener ton existence actuelle, tu finiras, comme tout le monde, par perdre de vue l'essentiel. »

13

J'étais arrivé à Moscou en fin de journée, pour une importante semaine de négociations. Installé au vieil hôtel National, j'avais comme appartement celui qui servit de bureau et de chambre à Lénine aussitôt après la Révolution. Ses fenêtres donnent sur la place Rouge.

Je contemplais la capitale soviétique, silencieuse et inerte, à une heure du matin.

Les dômes du Kremlin, masses sombres et imposantes, dominent la capitale endormie, et paraissent transmettre la réalité profonde de la Russie éternelle.

Invité dans son enceinte, au cœur du pouvoir absolu, qui abrita aussi bien la lignée des tsars que la relève des équipes de commissaires du peuple, j'avais vu, au cours d'un dîner, les dirigeants soviétiques évoluer avec fierté dans un luxe impérial. Léonid Brejnev présidait. Le spectacle de ces soirées, selon un cérémonial immuable, est difficile à imaginer à Paris ou à Washington.

Les invités pénètrent par l'escalier principal du palais du Kremlin et débouchent dans le hall Saint-Georges, immense pièce de marbre blanc dont les murs portent toujours, en lettres d'or, les noms des plus grands héros des épopées militaires tsaristes. Le secrétaire général du Parti communiste et ses invités sont servis dans l'imposante « salle des facettes », décorée de toutes parts par des motifs religieux de l'église orthodoxe.

Brejnev et son entourage, dans cette pièce d'un autre âge, encadrés de fresques et d'icônes, évoquent irrésistiblement le spectacle de la Cène.

Un toast porté à la santé de la délégation américaine nous précise, avec une pointe d'ironie, que le lieu où nous dînons fut construit par Ivan le Terrible, deux années avant que Christophe Colomb ne découvre le Nouveau Monde, terre encore vierge.

Les dirigeants soviétiques donnaient une impression d'autorité, de maîtrise, de puissance absolue. C'est ainsi qu'ils le ressentaient, et c'est ainsi qu'ils tenaient à le transmettre.

Dans ma chambre d'hôtel, au milieu de la nuit, je repensais à ces épisodes. Par les grandes fenêtres, je voyais le ciel étonnamment clair derrière la neige qui ne cessait de tomber.

Soudain, un vacarme assourdissant emplit l'espace. Je suis saisi par ce tonnerre avant de voir quoi que ce soit. Puis débouchent, formidables, sur la place Rouge, par l'avenue Karl Marx, d'immenses colonnes motorisées, transportant les engins nucléaires les plus modernes.

Je suis en train d'assister à la dernière répétition nocturne avant l'imposant défilé du lendemain, 7 novembre, qui commémore chaque année, la révolution d'Octobre.

Les ogives nucléaires manœuvrent dans un ballet parfait, avec lenteur, sur les avenues désertes. Demain matin ces monstres seront là pour signifier au monde que l'URSS est désormais militairement invulnérable.

J'avais assisté, à l'âge de dix ans, au chassé-croisé des blindés, des canons dernier modèle, de la Wehrmacht de Hitler et de l'Armée rouge de Staline. Je les ai encore devant les yeux. Mais rien n'avait jamais produit sur moi un effet semblable à celui de ces missiles intercontinentaux qui continuaient d'évoluer sous mes fenêtres, si grands, si longs, si larges, et si mobiles, au pouvoir de destruction universel et sans limite...

.

Sauf une fois lorsque, par hasard, j'avais pu voir vivre, tout un après-midi, et librement, les hommes, si soigneusement entraînés qui sont, de part et d'autre, chargés de s'en servir...

C'était peu de temps auparavant, tandis que je volais de New York à Washington pour une réunion au Département d'État. Notre avion eut une avarie. Un hublot cassé et la baisse de pression consécutive obligèrent l'équipage à atterrir en urgence, sur la base militaire de McGuire Air Force dans le New Jersey.

Cette gigantesque et célèbre base aérienne, qualifiée « top secret », est l'un des centres nerveux du système mondial pour les forces nucléaires des États-Unis.

Spectacle extraordinaire, et accablant.

Partout des militaires désœuvrés, certains de haut rang, y compris plusieurs généraux, presque tous des pilotes reconnaissables à leur insigne, essayaient visiblement de tromper leur ennui quotidien, une canette de bière à la main, et contemplaient d'un œil morne les récepteurs de télévision qui projetaient de vieux films ou des matches de football.

Ils étaient assis. Ils attendaient, comme tous les jours de chaque mois, tous les mois de chaque année.

292

Il y avait un contraste proprement surréaliste. D'une part la complexité technologique et raffinée de cet ensemble et des missiles disséminés à travers la planète, au ras de leur silo, prêts à jaillir des entrailles de la terre vers leurs cibles, programmés par ordinateurs pour un acte de fin du monde. Et d'autre part, l'ennui pitoyable de ces hommes dont la seule raison d'être serait d'accomplir un jour, peut-être, le geste irrémédiable — dans la minute où l'ordre arriverait.

Ces carrières, ces cerveaux, ces systèmes, étaient tendus vers un seul et même objectif, précis et aléatoire : l'Alerte.

Toute l'existence de ces officiers, pour la plupart remarquablement formés et sélectionnés, était rivée à cette mission et à elle seule. Jusqu'à l'âge de la retraite... ou de l'apocalypse.

En Union soviétique, on retrouvait les mêmes professionnels de grande classe, à qui reviendrait soudain la responsabilité au cas où... et dont la vie quotidienne, cette éventualité mise à part, demeurait aussi morne. Ils étaient conditionnés, préparés pour la même solution finale.

De part et d'autre, il fallait tout faire pour qu'ils réfléchissent le moins possible, qu'ils ne se posent pas de question, ni sur le sens de leur vie, ni sur celui de leur finalité. Car lequel y résisterait ?

293

On peut se retourner vers le passé et le voir en noir. On peut lever les yeux vers l'avenir qui reste gris. Mais à quoi ressemble le présent, et comment lui donner du crédit, quand la croissance la plus irrésistible, et la seule qui n'admette jamais de répit, est celle de l'arsenal nucléaire mondial ?... Il représente, à l'heure qu'il est, déjà, plus d'un million de fois Hiroshima.

Ainsi tout est fin prêt, pour un nouvel holocauste aux dimensions de l'univers. Alors qu'à l'ère du fait atomique, chaque dirigeant politique, chaque responsable, chaque citoyen, devrait savoir depuis longtemps que la guerre, avec ces armes-là, a cessé absolument d'être le moyen de régler les conflits ou les problèmes de la politique, sinon comme le suicide règle ceux de la vie humaine.

Partout se déploie, à travers la planète, un nouvel échiquier de la guerre « tiède », sur lequel les grandes puissances placent les pions monstrueux, et tout-puissants, que sont les sous-marins, les missiles, les satellites, à charge nucléaire.

A l'heure actuelle, les États-Unis peuvent détruire l'URSS vingt-cinq fois... Et l'Union soviétique anéantir l'Amérique au moins quinze fois.

Que peuvent vouloir dire ces chiffres, et par quelle aberration vouloir coûte que coûte continuer à les multiplier ?

En repensant à ce défilé irréel dont j'avais été le témoin dans la nuit de Moscou, puis à cet après-midi lugubre sur la base McGuire, j'imaginais les dizaines d'autres bases, et des millions d'autres engins, qui détiennent, en gage, nos existences.

La course, déchaînée, aux armements me semblait condamner l'humanité entière à être la prochaine masse vivante à pénétrer dans une ultime chambre à gaz aux dimensions de la planète.

500 milliards de dollars — plus de 2 000 milliards de francs — viennent d'être dépensés en un an pour l'achat de nouvelles armes. Au fil des années les chiffres n'ont cessé de croître de manière exponentielle.

L'aide totale aux populations déshéritées de la planète, atteintes par la famine, la maladie, l'analphabétisme, condamnées à vivre pour toujours comme des sous-hommes, ne représente que 4 p. cent de cette somme. Mais nous persévérons, plutôt que de faire face à ces urgences dramatiques, à nous perdre dans des concepts abstraits, barbouillés des couleurs du prestige.

Je repensais à la logique fondamentale qu'exposent les stratèges du Pentagone : en raison d'un environnement technologique qualitativement très inférieur, le coût des mêmes armes produites par les Soviétiques est quatre fois plus élevé qu'aux États-Unis ; dès lors, il suffit d'entraîner les Russes dans

une course, de plus en plus rapide, à la fabrication
d'armes de plus en plus technologiques et scientifiques pour que s'opère, de lui-même, et de l'intérieur, leur affaissement financier et économique.
Les plus avisés des Américains rejettent cette
logique démentielle. Cependant, la course à l'armement ne cesse d'être stimulée par chaque nouvelle
découverte.

Ma crainte que cette évolution conduise au désastre
est plus qu'alimentée par ce que je sais, dans ma
chair, du passé. L'échéance majeure d'aujourd'hui
— notre survie face à la démence nucléaire — est
celle qui revêt pour moi le lien le plus direct avec
ma survie, si précaire, d'autrefois.

J'ai appris à connaître les Soviétiques. Pour la
génération actuellement au pouvoir, qui a combattu
et souffert dans la guerre contre le nazisme, le choix
entre « le beurre ou les canons » n'est pas ce que
l'on voudrait croire. Leur obsession de la sécurité,
si fortement légitimée par la répétition de toutes
leurs expériences historiques, y compris les plus
récentes, les conduit toujours à sacrifier le consom-
mateur, sans hésitation, sans risque ni regret.

La population supporte la privation avec stoïcisme.
Car dans sa mémoire, à elle aussi, reste impri-
mée, avec force, les multiples invasions qui, des
Mongols aux nazis, en passant par les chevaliers
teutoniques, les barons polonais et la grande armée
de Napoléon, marquèrent si régulièrement, et si
sauvagement, l'histoire de leur pays.

Peu nuancés, il faut le savoir, dans leurs vues du monde, et leur analyse de l'histoire, les maîtres du Kremlin, les uns après les autres, sont convaincus que l'Occident cherche, par tous les moyens, une fois de plus, à les détruire. Leur obsession, c'est la prise en tenaille sur deux fronts : l'arsenal atlantique à l'Ouest, et une Chine, innombrable et réarmée, à l'Est.

Je me rappelle, au lendemain de la journée de Babi-Yar, la consternation avec laquelle nos hôtes soviétiques, à Kiev, accueillirent la nouvelle du voyage secret de Kissinger à Pékin. Et ce n'était qu'un prélude.

Huit ans plus tard, on est passé de la diplomatie secrète à l'alliance ouverte, entre la Chine, l'Amérique et le Japon.

Face à cette situation, l'URSS sent le risque de devenir bientôt un géant ligoté. Incapables d'entreprendre à temps une politique d'ouverture qui leur eût permis de contrecarrer cette évolution, les maîtres du Kremlin risquent fort de croire que leur salut ne réside que dans la fuite en avant et la création de nouveaux foyers de conflits...

Cette fixation des Russes, je pouvais d'autant mieux la comprendre qu'elle était partagée par un peuple qui, plus que tout autre, a été victime, le long de son histoire millénaire, d'épisodes tragiques : le peuple juif.

Oui, comme Juif surtout, je comprends les Russes et, paradoxalement, nous pouvons nous parler. Nous avons les mêmes hantises.

L'attitude des Soviétiques, comme celle des Israéliens, c'est d'abord le refus absolu d'une nouvelle tragédie comme celle qui, la dernière fois, leur coûta tant de millions et tant de millions de vies.

Faut-il alors figer ces peuples dans leur méfiance, leurs réflexes immémoriaux de survie, en les condamnant à penser que leur seule protection réside dans la fabrication, à tout prix, d'un éventail d'armes de plus en plus meurtrières et ruineuses?

Nous constatons aujourd'hui que le progrès scientifique jugé si longtemps nécessaire et prometteur, dont dépendent la nourriture, l'épanouissement, la plénitude de vie de la prochaine génération, ne fait désormais que fomenter, par notre impuissance actuelle, la terreur au lieu de l'espérance.

Je n'aperçois nulle part le moindre sentiment de solidarité ou d'interdépendance. Et pourtant nous savons tous que les radiations atomiques peuvent tuer plus d'êtres humains que l'emploi d'antibiotiques ne pourra jamais en sauver. Il existe, en vérité, une économie dominante : celle de la guerre.

Une sorte de secteur quaternaire se développe au sein des États industrialisés, à l'Est comme à l'Ouest, et se nourrit en priorité sur tous les autres par l'entraînement de sa propre dynamique.

Le fait d'être prêts, techniquement, à entrer en conflit à tout moment, façonne nos sociétés actuelles bien davantage que leurs systèmes politiques ou sociaux.

Les plus brillants des chercheurs, techniciens, scientifiques, russes comme américains, consacrent aujourd'hui leurs talents, et leurs inventions, aux productions les plus stériles : celles de l'armement. La routine nous entraîne à l'admettre comme inévitable et l'ensemble de l'économie peut en devenir dépendant.

Je sais pourtant, par mes contacts directs avec eux, que les jeunes Soviétiques, au seuil du pouvoir, ont les doutes les plus profonds sur cette concentration croissante des ressources vers une machine militaire, à l'appétit inépuisable, alors que les besoins élémentaires de la population sont laissés au hasard.

Cette nouvelle génération en a assez des récits héroïques des anciens combattants encore au pouvoir. Leurs préoccupations sont bien différentes. Mais leur donnera-t-on le choix ?

Des millions de jeunes Américains s'inquiètent, eux aussi, et se révoltent, contre le chaos des villes, la criminalité, l'inflation et le chômage que l'on paraît ne plus pouvoir tenter même de maîtriser — bref la faillite.

Ils sont obsédés, comme les nouveaux Soviétiques, par la solution de leurs problèmes intérieurs, les vrais.

Pour les Russes, le retard technologique, la pénurie de logements, l'insuffisance permanente de l'agriculture, l'alcoolisme généralisé dès 5 heures du soir, deviennent des risques réels d'affaissement. Ils ne veulent plus sacrifier sur l'autel de la vieille idéologie l'espoir d'un mode de vie décent, et l'ouverture de leur société. A plus forte raison, ne sont-ils nullement tentés par le nouvel holocauste d'une épreuve militaire. Mais de quel poids pèseront-ils face aux enchaînements ? Ce que je sais c'est qu'ils ne sont pas — pas encore — résignés.

Il faut avoir vu ces hommes, indifférents à la rigidité dogmatique du marxiste, regarder les présentations audio-visuelles d'experts occidentaux sur l'agriculture industrielle dans les prairies de l'Oklahoma, ou bien sur l'activité pétrochimique dans le Bade-Wurtemberg, ou encore sur la fabrication de fonte ductile en Lorraine...

A terme — si le temps nous en est donné — les pressions économiques et sociales à l'intérieur de l'État communiste sont capables de faire pencher la balance contre les contraintes bureaucratiques et militaires.

300

Malgré le fossé qui sépare encore les États-Unis de l'Union soviétique, les deux pays possèdent d'évidentes affinités. Ils ont, l'un et l'autre, la taille d'un continent, une vaste population, des fleuves sans fin, d'immenses ressources naturelles.

Le problème historique auquel doivent faire face les responsables de Moscou est d'organiser un système de production et de distribution de masse, adapté à 250 millions d'habitants, répartis sur son vaste territoire. Qui d'autre que l'Amérique a résolu ce type de problème ? Personne ne le sait mieux que la génération montante des planificateurs soviétiques.

Cette inspiration, vivante et profonde, est la vraie chance de pacifier et d'ouvrir les esprits communistes. Même un bolchevik de la première heure, Anastase Mikoyan, l'ancien chef de l'État, m'a parlé longuement de cette volonté d'ouverture, avec une franchise surprenante. Selon lui, l'Union soviétique était prête à vendre son pétrole et son gaz naturel à l'Occident pour accélérer son propre développement et rattraper ses retards scientifiques.

« Nous ne voudrions pas, dit-il, vous vendre plus qu'une partie de notre richesse, parce que les problèmes énergétiques que vous connaissez aujourd'hui, nous aurons à les affronter demain. Nos enfants et petits-enfants ne nous pardonneraient pas d'avoir épuisé les ressources vitales dont ils auront un jour besoin pour éclairer et chauffer Moscou, Leningrad, Kiev, etc. »

Et Mikoyan admettait que « parce que nous avons besoin de votre équipement technique, et presque chaque année de votre blé pour nourrir notre population, nous devons vendre ce qui est nécessaire pour les payer ».

Il s'agissait là d'un phénomène général, car tout l'ensemble des besoins que doit affronter l'humanité, et l'Amérique elle-même commence à le sentir durement, prend le pas sur les confrontations traditionnelles.

Est-ce utopique ?

L'Allemagne et la France, après trois guerres fratricides, coopèrent étroitement, dans le cadre du Marché commun. Pour elles, le développement des échanges commerciaux, financiers et industriels, est devenu si fort, si nécessaire, si imbriqué, que l'idée de se faire la guerre reviendrait à se poignarder soi-même.

De même, le conflit séculaire entre le Japon et la Chine. Aujourd'hui ces deux puissances, aux idéologies opposées, en sont venues à forger naturellement une alliance qui, à terme, peut, par sa fécondité, provoquer un bouleversement de l'équilibre mondial.

Enfin, l'exemple du Proche-Orient, à travers son histoire, est profondément révélateur. Il n'existait pas deux peuples plus proches, en vérité, que les

Arabes et les Juifs. Malgré les divergences religieuses, leur coexistence millénaire fut toujours pacifique et féconde, dans tous les domaines de la science, de la philosophie, de l'art, et du commerce. Les progrès fondamentaux réalisés à la grande époque d'Alexandrie comme à l'âge d'or de l'Espagne, en témoignent. De même est évidente, ou devrait l'être, la complémentarité géographique et économique entre Israël et ses voisins.

Au-delà des déchirements actuels, il existe une équation de coexistence fondée sur la coopération économique qui pourrait ranimer la vitalité financière du Liban, qui donnerait à la Jordanie, à la Syrie et à l'Égypte la possibilité de reprendre leurs projets de développement essentiels et permettrait d'utiliser à des fins civiles le considérable potentiel technologique d'Israël.

Pourtant, depuis trente ans, toutes ces convergences sont restées niées ou ignorées dans le fracas d'affrontements répétés, et toujours sans issue.

Des budgets militaires disproportionnés, écrasants, accentuent, dans chaque camp, les difficultés économiques, et la dépendance à l'égard des grandes puissances, qui elles-mêmes désormais s'essouflent.

Tous ces peuples savent que leur avenir économique ne peut être éternellement hypothéqué au nom d'une victoire militaire de plus en plus illusoire. Le coût écrasant des armes est profondément ressenti des deux côtés, alors que la paix qui s'instaurerait demain permettrait aux Arabes et aux Juifs de gagner ensemble sur le désert.

J'évoquais cette question avec Moshé Dayan après la guerre éclair de 1967, d'abord à Paris puis, à plusieurs reprises, dans sa maison près de Tel-Aviv.

Dayan est un Sabra, né en Palestine parmi des Arabes dont il parle avec une réelle amitié. Il est en pleine harmonie avec cette région.

Il se dégage du personnage une sorte d'assurance tranquille, dans l'allure et l'argumentation, qui montre un homme calme et modéré, bien éloigné de l'image du baroudeur qu'a forgée sa légende.

Nous formions, lui et moi, les deux faces d'un même destin : celui d'un peuple, unis à travers les âges, par les mêmes souffrances et les mêmes persécutions. Mes compagnons des camps, et moi-même, avions légitimé à notre tour la présence historique, en Palestine, d'hommes comme Dayan qui assurèrent aux Juifs une terre d'asile et d'espoir.

Je lui dis :
« J'ai trop vu de politiques reposant sur la force des armes pour ne pas savoir qu'elles sont toujours, à terme, condamnées. Vous n'imposerez pas la paix par la guerre. »

Dayan sourit, en s'étirant :

« Vous savez, j'ai été fermier et ministre de l'Agriculture... (Il me regarde malicieusement.) Eh bien, c'était infiniment plus passionnant que d'être chef d'état-major ou ministre de la Défense. Je vais vous faire un aveu. Il y a une chose qui me passionne : l'industrie de la pêche. C'est dans des activités comme celle-là, et celles que nous inventerons que réside le seul véritable avenir d'Israël. »

Lui qui vivait, depuis son enfance, dans la mobilisation permanente, s'efforçait, à chaque instant, d'imaginer les contours, la physionomie, que pourrait avoir la paix.

Il ajouta :
« Vous devriez savoir que j'ai pratiqué vos thèses avant même que vous les ayez formulées. C'est cette politique que j'ai amorcée en ouvrant le Pont d'Allenby sur les deux rives du Jourdain, pour la circulation libre des marchandises et des hommes. J'aurais préféré que ma vocation soit celle-là. »

*
* *

Pourquoi et comment naissent, et renaissent, les guerres ? Je ne saurais refaire l'histoire des hommes. Mais aujourd'hui, pour la période qui est devant nous, c'est assez clair et écrasant. A travers l'Occident, le raisonnement des fabricants d'armes broie tous les autres. La prolifération actuelle est devenue un impératif commercial. Avec un mécène illimité : l'État national. Et des clients sûrs : tous les autres États.

Dans le cadre de la compétition américano-soviétique, les lobbies militaires estiment que la sophistication perpétuelle des armes les rend pratiquement périmées dès leur livraison, et nécessite par conséquent un remplacement presque immédiat et de nouvelles recherches — à prix d'or.

Les améliorations « qualitatives » de fusées à têtes multiples, et à trajectoires indépendamment programmées, leur confèrent une précision de tir à dix mètres près, au terme d'une course de treize mille kilomètres. Ces missiles, devenus depuis peu vulnérables dans leur silo, vont être placés sur des rampes de lancement mobiles souterraines et camouflables, pendant que d'autres seront installés en vol constant de jour et de nuit.

Et l'arsenal spatial, de son côté, est en place. Deux mille satellites, pourvus de charges nucléaires, sont déjà, à l'heure actuelle, sur orbite. En mai 1978, le Pentagone révélait que l'URSS avait placé, à son tour, sur orbite, un satellite chasseur de satellites et qu'il était parvenu très près de son premier objectif.

Et en plus les armes « intelligentes », attirées et guidées par leur propre cible, les mines dormantes qui sont réveillées par le passage de l'ennemi, les bombes planantes commandées par télévision, sont dépassées par l'invention suprême que sont les catastrophes naturelles que l'on est capable maintenant de provoquer artificiellement. Il est devenu possible de déclencher des raz de marée susceptibles de noyer de vastes territoires avec toute leur population, ou des cataclysmes météorologiques, entraînant une sécheresse totale et la famine.

Les dépenses consacrées, d'année en année, aux budgets militaires, destinés en principe à assurer la sécurité, aboutissent en fait à une insécurité accrue, à l'angoisse, et à la paralysie des politiques.

Les diplomaties des grandes puissances ne sont plus **mises** au service du règlement des conflits mais servent avant tout à assurer un flot régulier d'exportations d'armes.

Le Tiers Monde en développement devient une mosaïque d'antagonismes où chaque État veille au respect pointilleux de ses frontières. Alors que celles-ci sont d'autant plus contestées qu'elles ne reflètent, pour la plupart, aucune réalité ethnique ou politique.

En dispersant leur production guerrière sur tant de théâtres d'opérations du Tiers Monde, les Soviétiques ont, à court terme, gagné en prestige. Ils paraissent participer à des luttes d'émancipation. Ils écoulent, en fait, leur ferraille militaire démodée. L'affrontement entre deux petits États pauvres est le meilleur moyen, pour les puissances, de les tenir dans l'asservissement.

Le commerce, fabuleux, des armes, seule vraie ressource désormais d'enrichissement, domine aujourd'hui toutes les relations entre pays riches et pays pauvres. Constatation aussi humiliante que révoltante.

En satisfaisant un extraordinaire appétit pour « l'arme » à laquelle ils consacrent la première des priorités devant tout impératif de développement économique et social, les pays du Tiers Monde accélèrent eux-mêmes la mécanique qui permet aux riches de s'enrichir et condamnent les pauvres à s'appauvrir.

Qui comprendra pourquoi ces pays ne rejettent pas ce jeu qui ne peut être que fatal ? Mais le fait est là et les nations dites développées ne paraissent guère — c'est le moins que l'on puisse dire — prêtes à donner l'exemple.

Quelques leaders du Tiers Monde, plus expérimentés ou plus sages, comme Tito ou Houphouët-Boigny, ne cessent de clamer leur angoisse. Le président yougoslave prophétise l'extension des conflits régionaux au déclenchement d'un nouveau conflit général. Pour plusieurs dirigeants, la troisième guerre mondiale vient de commencer en Afrique et en Asie...

Face à ces exportations, nous n'en continuons pas moins à payer nos caprices, et ce que nous croyons être nos besoins, en exportant des armes de plus en plus efficaces pour qu'elles soient de plus en plus chères. Après avoir un instant équilibré notre balance de paiement, elles ne pourront que se retourner contre nous.

308

Ainsi le marché des armes devient essentiel à l'Occident. Et socialement s'est fait jour l'alibi le plus vénéneux et le plus redoutable : celui de la préservation de centaines de milliers d'emplois dans les industries d'armement.

Pour la première fois, l'homme est amené à envisager sa disparition, non plus en tant qu'individu, mais en tant qu'espèce. Face aux phénomènes de provocation réciproque qui ne cessent de se développer, qui ne devine l'épilogue ?

**

La question pour moi, au milieu de tous mes débats et de mes négociations entre l'Est et l'Ouest, était de savoir si je devais continuer à travailler à cette coexistence ou s'il existait, face à la société soviétique qui se transforme en arsenal, une limite à ne pas franchir.

Problème de conscience. Problème fondamental qu'il fallait tirer au clair. Pas l'ombre d'un doute n'était acceptable. Car je ne puis admettre l'idée que ceux qui œuvrent au rapprochement entre l'Est et l'Ouest, puissent être considérés comme des « collaborateurs » — un mot que nous avions subi au plus profond de nous-mêmes dans les années martyres.

Il s'agissait de savoir, en somme, si l'Union soviétique militarisée laisserait enfin vivre et respirer ceux dont l'indépendance d'esprit forme une partie intégrante du génie de son peuple.

Un homme s'opposait, de toute son âme et de toute sa force, à la poursuite de cette collaboration : Alexandre Soljenitsyne.

Multipliant les mises en garde à l'Occident, ce géant, sorti des décombres, adoptait une position tranchée et opposée à la mienne.

Tous deux, nous avions pourtant partagé la même expérience inoubliable dans nos goulags respectifs. Tous deux, nous connaissions la laideur et la cruauté du totalitarisme. Mais ce prophète, à l'éloquence aussi puissante que l'écriture, m'inquiétait. Aussi proche que je me sente de l'homme, je ressens aussi que la philosophie qu'il s'est forgée à l'épreuve des camps n'est pas totalement la mienne.

Dans notre monde technologique, dont les aspects essentiels sont complètement nouveaux, il reste imprégné des grandes traditions du passé le plus lointain et porte souvent des jugements extrêmement déroutants.

Sa pensée, si fermement exprimée, a quelque chose de fascinant, et pourtant elle suscite parfois un malaise.

Soljenitsyne était trop visionnaire, trop homme du bord du gouffre, pour pouvoir apaiser mes inquiétudes, pour répondre à mes interrogations. Je comprenais et j'admettais ses critiques. Mais quelles vues d'avenir proposait-il ?

Son propos n'était que l'écho du cri célèbre de Patrick Henry au xviiie siècle : « Donnez-moi la liberté ou donnez-moi la mort. » Position admirable, mais de quelle portée humaine, à l'ère nucléaire ?

Je savais qui pouvait nous aider à y voir plus clair. C'était l'académicien Andréï Sakharov, créateur de la bombe H soviétique, personnage éminent et respecté aussi bien pour son combat inlassable en faveur des droits de l'homme en URSS que pour son angoisse devant l'accroissement de l'arsenal nucléaire.

Scientifique prestigieux, militant de la liberté, il était au cœur du débat.

Son analyse rencontrait la mienne : le seul remède aux maux chroniques, et sans cesse aggravés, de l'Union soviétique en matière agricole et industrielle reposait sur des réformes démocratiques. Si l'URSS voulait éviter de devenir une puissance de deuxième ordre, elle devrait, par la force des choses, opérer les réformes et mettre en œuvre les nouveaux concepts de production, de distribution et de gestion.

Mais Sakharov venait de placer une hypothèque d'ordre moral sur l'ensemble de ce processus d'intégration. Il commençait à manifester, lui aussi, son inquiétude, comme Soljenitsyne, devant la croissance des relations technologiques et financières entre l'Est et l'Ouest ; tandis que la police soviétique ne cessait de resserrer son étau.

Ma décision, dès lors, était prise. Cette « paix par l'intégration économique » que je préconisais, je ne pourrais continuer à la défendre, et à la promouvoir, si une voix aussi incontestable, si un cerveau aussi compétent, que ceux du physicien dissident soviétique en devenait, à son tour, l'adversaire.

La question était de savoir, et de savoir par lui, si la coopération entre l'Est et l'Ouest devait inévitablement se faire aux dépens des opprimés ou pourrait, au contraire, nourrir leurs espérances.

Je décidai de l'interroger dans une lettre ouverte, diffusée à travers la presse occidentale : « Souhaitez-vous que nous soumettions la politique de développement de liens économiques et scientifiques avec l'URSS à une sorte d'ultimatum au pouvoir soviétique ? Changez d'abord votre système totalitaire ou bien nous arrêtons tout le processus de coopération. »

Je demandais publiquement à Sakharov de nous dire, à tous, les conditions auxquelles, selon lui, nous pouvions accepter de poursuivre dans la voie de la détente.

Ayant connu les pires horreurs de la dernière guerre, je m'adressai à l'un de ceux qui savent

312

mieux que personne ce que pourrait être l'horreur de la prochaine.

Cette lettre fut dictée par téléphone à la femme de Sakharov, Elena, à leur domicile moscovite.

Sa réponse me parvenait le lendemain.

« Je m'élève contre tout ultimatum, quelle qu'en soit la forme. Le danger d'une guerre nucléaire constitue, pour l'humanité entière, la préoccupation dominante. Et j'approuve le renforcement des liens économiques, culturels et scientifiques, entre l'Est et l'Ouest. »

Sa réponse fut diffusée, elle aussi, dans la presse mondiale. Elle apaisait la plupart de mes inquiétudes malgré les réserves que formulait honnêtement Sakharov sur « les conséquences aléatoires des relations économiques sur l'ouverture de la société soviétique ».

Je savais bien, certes, que le chemin serait long, et difficile. Mais Sakharov confirmait que l'objectif était juste.

Quelques mois plus tard, dans son ouvrage *Le chêne et le veau* Alexandre Soljenitsyne apportait, à son tour, un soutien inattendu et, à coup sûr, extrêmement encourageant.

Rappelant le verdict de Sakharov, il concluait dans son livre : « Parmi les partisans du rapprochement économique avec l'URSS, Pisar a été l'un des rares à voir clair, tandis que le Vatican, paralysé par ce même rapprochement, gardait le silence. »

J'enregistrai ce jugement avec reconnaissance sans me faire trop d'illusions, cependant (malgré notre objectif commun sur le respect de la liberté des hommes) quant à l'ampleur de nos divergences sur les réponses aux défis qui convergent de partout.

14

Ces dernières années, j'ai participé à Athènes, Mexico, Paris, Stockholm, à une série de colloques et de séminaires internationaux qui ont rassemblé les penseurs les plus divers de notre époque. Aurelio Peccei, président du Club de Rome, le sociologue suédois Gunnar Myrdal, l'historien américain Artur Schlesinger, l'économiste J. K. Galbraith, l'écrivain égyptien Mohamed Heykal et bien d'autres de la même envergure, se sont mis à chercher ensemble dans ces rencontres, une réflexion approfondie sur les problèmes globaux aux apparences inextricables.

Ainsi j'arrivais dans la capitale suédoise, à l'invitation de la Fondation Nobel, pour des journées sur : « L'homme, les ressources et l'avenir ».

Nobel, Stockholm — sont sans doute, en matière d'intelligence civilisatrice, les noms aujourd'hui les plus prestigieux. J'étais intimidé, intrigué, et plein d'illusion.

Nous sommes d'abord reçus avec faste au Parlement suédois, puis invités par le jeune roi Karl Gustav.

Je contemplais les savants prestigieux venus de pays si divers, ainsi que les personnalités suédoises qui nous entouraient.

Le climat était chaleureux et détendu. Mais j'éprouvais le sentiment que, pour la plupart, nous n'étions pas à la hauteur de la tâche.

Tout le cérémonial, puis le défilé des discours préparés, me parurent assez vides, et une fois de plus, irréalistes et déconcertants.

Alors que les circonstances nous appelaient à faire preuve de rigueur, de lucidité, pour avoir une chance de trouver une voie, de faire reculer les automatismes de l'autodestruction, nous étions en train d'affadir, dans une sorte de complicité frivole et de sentiments élitistes, les réflexes violents qui sont l'essence de l'instinct de survie.

La conviction du ton, et la rhétorique des orateurs n'arrivaient pas à dissimuler l'académisme de tout cela.

J'assistais à une démonstration implacable de ce que je redoutais de plus en plus, et depuis longtemps déjà : l'impuissance des intellectuels. Occupés à se trouver en conformité avec la pensée et les modes, ils négligeaient le quotidien — cette affaire si vulgaire...

Mon tour arrive. Je traverse la grande salle pour prononcer mon discours. Réactions favorables. Je regagne ma place sous les applaudissements de circonstance et le Premier ministre, Olaf Palme, qui s'est spécialement déplacé, vient me dire que je représente à ses yeux « l'homme post-national et post-idéologique ».

Au lieu de me sentir encouragé par ces marques de sympathie, j'éprouve surtout une profonde insatisfaction, une frustration et une colère intérieure : quelque chose bout en moi.

Ainsi j'ai été pris, moi aussi, au piège de ces séminaires, brillants et flatteurs, qui se multiplient et donnent si bonne conscience aux élites politiques, économiques et intellectuelles.

Au lieu de parler le même langage codé que toutes ces personnalités, j'aurais dû avoir la force, et le courage, d'évoquer carrément cet « angst », ce désarroi essentiel que je sentais monter face aux événements du monde, et qui me replongeaient trente-cinq ans en arrière, dans la certitude de la présence menaçante d'échéances dramatiques. En un mot, j'aurais dû ressusciter le fabricant de

317

boutonnières, celui qui sécrète du plus profond de lui, les actes et les sursauts qui triomphent de la mort. Mais maintenant, j'étais policé, je m'étais laissé forger aux moules du conformisme.

J'aurais dû dire, surtout devant cette assemblée intellectuelle, sans craindre de choquer, comment j'avais appris, pour toujours, que l'existence pouvait se ramener à une lutte constante pour la survie, à une succession d'humiliations, de privations et de hontes — qu'il faut admettre, reconnaître, et surmonter.

Ce qui s'éclairait, pour moi, là, dans la capitale de la Suède, c'est l'immense difficulté d'élaborer un futur réaliste lorsqu'on méconnaît le pathétique des situations de la vie.

Non ! La faim ne se ramenait pas à des chiffres sur le déficit céréalier. Oui ! Les dilemmes de l'environnement, ou de la surpopulation, recouvraient des réalités autrement plus âpres que l'éloquence de mise n'osait les aborder.

Avais-je, en quelque sorte, vécu l'avenir ? Les douleurs du passé et les jeux du présent s'entrelaçaient dans mon esprit...

*
* *

Quatre courtes années avaient suffi pour faire basculer toutes les illusions de l'Occident. Nous

318

glissions vers le naufrage, abrutis par la musique des mots, comme les passagers du *Titanic* par l'orchestre de la salle de danse.

En 1969, deux hommes avaient simplement, à l'heure dite, posé le pied pour la première fois, sur la lune. La vitalité, la créativité extraordinaire de notre civilisation, les ressources sans limites de la technologie et de la science — nous étaient, d'un coup, montés à la tête. A l'homme, plus rien n'était impossible.

Il avait suffi, en 1973, de la guerre du Kippour et de l'embargo sur le pétrole, pour révéler en quelques jours l'extrême fragilité et les limites, étroites, des fières sociétés industrielles.

Depuis, aucun État, quelle que soit sa puissance, ne peut plus croire qu'il est à l'abri des tourments violents qui secouent la communauté mondiale ; et les grands problèmes planétaires requièrent d'urgence une action collective — sous peine d'asphyxie et d'anéantissement.

Or, les intérêts nationaux restent divergents et exacerbés, l'autorité internationale est manifestement impuissante, et la volonté d'action politique est inexistante.

Les régimes communistes n'ont pas mieux supporté la crise de l'énergie. Ils sont frappés tout autant par l'inflation et le chômage — qu'ils peuvent seulement dissimuler artificiellement — et

ils doivent payer à des prix exorbitants l'équipement et la technologie dont ils ont encore davantage
besoin. Au moment où, face à la récession du
monde occidental, leur pouvoir d'exportation s'af-
faisse.

Ainsi il n'y a plus ni hésitation ni choix : il faut
repenser fondamentalement tous nos problèmes.
Or, qu'avons-nous fait ?

Conférence internationale de Bucarest sur les problèmes de surpopulation ? Le néant.

Chacun attend que l'autre, son voisin ou son rival,
commence d'abord à freiner l'accélération démo-
graphique. La majorité des pays du Tiers Monde
revendique avec force le droit de posséder une
population abondante. Même s'ils en deviennent
d'autant plus pauvres, ils croient qu'ils seront plus
dignes, et plus forts, s'ils sont plus nombreux. Pas
de quoi être fier.

Sur six milliards d'habitants dans vingt ans, neuf sur
dix vivront en Asie, en Amérique latine et en
Afrique. Avec quoi ?

Le slogan de l'Algérie : « Neuf millions d'habitants
en 1962, trente millions avant l'an 2000 ! »

A l'aéroport de Bombay, un immense panneau
officiel commande : « Une nation forte est une
nation nombreuse. »

Conférence de Stockholm sur le sauvetage de l'environnement ? Le constat et l'échec.

Quatre-vingts pour cent des familles de Calcutta ou de Dacca vivent entassées dans une seule pièce et des centaines de milliers d'êtres n'ont d'autre refuge que la rue.

L'Organisation mondiale de la Santé démontrait en 1978 que 75 p. cent des êtres vivants n'ont, à l'heure qu'il est, aucune possibilité de soins, que 70 p. cent de la population mondiale ne peuvent compter sur un accès à des installations sanitaires ou à de l'eau potable.

Conférence mondiale de Nairobi sur le développement, le prix des matières premières, les transferts de technologie ? Aucune ébauche de solution après cent discours solennels.

Les pays dits « en voie de développement », les trois quarts des États du globe, ne détiennent que 7 p. cent du potentiel et de la production industrielle totale.

Les échanges entre l'hémisphère industrialisé et l'hémisphère sous-développé ne représentent encore que le sixième de l'ensemble du commerce mondial. Le seul troc qui se soit organisé dans bon nombre de ces pays, est l'échange de pétrole, de cuivre, ou d'uranium contre des avions de guerre, des chars et maintenant des missiles.

Grande conférence de Rome sur l'alimentation : celle dont on attendait le plus, au nom du drame le plus répandu.

Tous les États membres des Nations unies avaient, pour une fois, adopté une résolution commune demandant qu' « avant 1985, plus un enfant n'aille se coucher affamé ».

Depuis, tout a empiré. Selon les meilleurs experts, des dizaines de millions d'enfants vont mourir, à brève échéance, de malnutrition et d'épuisement physiologique.

En somme, tout au long de ces années cruciales, nous nous étions contentés d'éparpiller nos impuissances, soigneusement rédigées, fort bien documentées, à travers les plus beaux cadres des capitales de la planète, en palabres stériles. Ces spectacles me glaçaient.

Tous ces délégués s'affrontant avec éloquence dans l'inquiétude et la nervosité, me ramenaient toujours davantage au spectacle de la bousculade frénétique, et sans espoir, du groupe qui vociférait autour de ma bouteille d'eau, Maïdanek, au sortir des wagons à bestiaux.

*
* *

Le réveil général du Tiers Monde, notamment de l'Asie, ces populations qui commencent à vibrer, à vivre, à construire, à inventer, sous l'effet de

l'alphabétisation, de l'urbanisation, de la multipli-
cation des moyens de communication et d'information de masse, changent toutes les données à partir
desquelles nous avons appris à réfléchir et à agir.

Des masses d'hommes, dépourvus, poussés par une
ferveur nationaliste ou religieuse, soutenus par de
nouveaux et puissants centres de financement et
d'influence, prennent possession de leurs richesses
naturelles et partout deviennent actifs. Il ne saurait
être question de prétendre les étouffer. Leurs
méthodes sont les mêmes que les nôtres. Nous ne
sommes pas en guerre avec un « adversaire », nous
sommes en compétition avec nous-mêmes.

Si nous étions tentés de refuser à ces nouveaux
venus la part à laquelle ils ont droit, c'est alors que
nous les transformerions irrésistiblement en une
marée hostile d'êtres humains qu'il n'y aurait plus
qu'à exterminer, selon les méthodes d'Hitler à la
recherche de son « espace vital » — ou bien à subir
leur domination.

La plus grande part des industries, dans les économies avancées d'Occident, en particulier les grandes
industries pourvoyeuses d'emplois, sont condamnées à l'exode. Elles sont, et seront de plus en plus,
remplacées par des concurrents capables d'utiliser
une main-d'œuvre meilleur marché et plus discipli-
née, disposant de ressources naturelles dans leur
propre sol. Ces défis ne cesseront plus de s'ac-
croître.

Nous sommes, par exemple, conduits inexorablement à accélérer la construction de réacteurs nucléaires avant même d'avoir pu explorer vers quels dangers nous mènent ces machines, largement inconnues, vers quels risques pour aujourd'hui, vers quels ravages pour demain. La carence de l'Europe en énergie ne nous laisse pas le choix.

Ainsi, nous sommes amenés, dans bien des cas, à sacrifier l'avenir à l'immédiat.

Pris à la gorge aussi par les problèmes pressants de l'équilibre des échanges, nous vendons à tous les pays, dont les matières premières nous sont indispensables, des usines entières, dites « clés en main », qui leur permettront, à brève échéance, non seulement de fabriquer pour eux-mêmes les produits que nous continuons encore à leur exporter, mais bientôt de nous concurrencer sur les autres marchés du monde, et enfin de pénétrer les nôtres.

Cette auto-destruction, comme l'a rappelé récemment Jacques Attali, de nos industries actuelles, est une « agression » inexorable. Même si nous rejetons ce piège, d'autres sociétés industrielles prendront notre place pour réaliser les mêmes bénéfices à court terme, par les mêmes conquêtes de marchés immédiats, et nous ne ferions qu'aggraver les difficultés du présent sans rien améliorer pour l'avenir.

Il faut donc envisager, dès maintenant, la refonte complète de notre appareil industriel à partir de nouvelles technologies, de nouvelles inventions, de nouveaux prodiges de la science qui dépendent de notre volonté, de notre acharnement à créer pour survivre, de la rapidité avec laquelle nous sortirons des ornières et des habitudes.

Il n'y a plus nulle part de barrière de protection : chacune de nos économies a besoin du marché mondial plus encore que ce marché n'a besoin d'elles. Si, par illusion ou aveuglement, nous oublions un instant que ces échanges avec le monde représentent des millions d'emplois chez nous, nous commettrons une erreur aux conséquences humaines incalculables.

Tous ces « ennemis » ont rencontré, de plus, un allié de taille : le chaos monétaire international.

Des centaines de milliards — que l'on baptise de tous les noms : eurodollars, pétro-dollars, unités de compte — flottent autour de la planète sans aucun contrôle, manipulés par la plus naturelle des spéculations : celle des managers qui doivent, à chaque instant, sous peine de déficits et de licenciements anticiper sur les vibrations désordonnées du marché des capitaux.
Et si, un jour prochain, certains des pays en voie de développement se déclaraient publiquement insolvables, ce qu'ils sont, et affichaient leurs décisions de ne pas rembourser les emprunts internationaux qui se comptent, désormais aussi, par centaines de milliards de dollars, c'est tout notre système bancaire qui s'effondrerait. Cette crise laisserait loin

325

derrière elle le krach de 1929, les désordres, les conflits, les cruautés qu'il entraîna.

Sont ainsi menacés, attaqués, le tissu même de notre société, et nos chances de survie en démocratie. D'autant que toutes ces agressions sont, en fait, des forces qui jouent à l'intérieur de notre propre jeu et selon nos propres règles. C'est à ce jeu, que nous avons inventé, et dont nous tirons notre subsistance, que nous risquons de tout perdre.

L'effondrement d'il y a quarante ans nous a appris que la chance, la seule chance, réside dans notre capacité à nous adapter et à inventer. S'il y a un nouvel holocauste, il sera aux dimensions de l'univers, et résultera du refus de comprendre et de l'incapacité à vouloir.

* *

Le système politique existant au niveau national et international est totalement incapable de faire face à l'ampleur des défis qui se posent déjà et ne cesseront de s'amplifier.

Les instances internationales se révèlent bruyantes autant que stériles.

L'État-nation est bien trop étriqué pour maîtriser les problèmes planétaires, et bien trop bureaucratique et centralisé pour harmoniser les problèmes de la vie quotidienne.

Cette double carence infiltre dans l'esprit des gouvernants comme dans celui des citoyens une psychologie de schizophrène. Une société se condamne dès l'instant où elle doute de sa propre légitimité. C'est le cas.

La raison d'État, invoquée si fréquemment par nos gouvernements, ne peut plus masquer que l'Etat perd la raison.

Il faut, avant tout effort réel vers l'espoir concret, que l'énoncé des choix soit sans équivoque.

Les camps d'extermination n'ont pas été un cauchemar provoqué par une tribu arriérée, mais un acte perpétré, de sang-froid, en plein XXe siècle, par un pays civilisé, l'un des fleurons de la démocratie et de la civilisation occidentale.

De cette expérience, j'ai retiré la certitude que les positions de principe, et les délires idéologiques, conduisent inéluctablement au désastre, à la terreur.

Si ma vie a un sens, une raison d'être, c'est de contribuer à éviter que les générations futures vivent des drames semblables. Je sais, et je dis, que nous le pouvons. C'est une question de volonté morale et de courage intellectuel.

Alors que nous sommes si menacés, et cette fois l'espèce tout entière, nous continuons de parler, de raisonner, de débattre en termes de bloc, de nation,

327

de capitalisme, de socialisme, d'indépendance, de puissance, et autres concepts illusoires et mortels.

Comme si l'appartenance à un Parti, à un État, une Église, une idéologie, nous protégeait contre le moindre des dangers redoutables, et universalisés, de l'ère nouvelle, ou nous permettait de mieux les comprendre.

Plus nos découvertes se multiplient, plus nos techniques s'affinent, et plus notre conception du monde, à l'intérieur de chaque État, paraît se rigidifier et se bureaucratiser. L'intelligence scientifique s'élance et l'intelligence politique s'enterre.

Le développement du gigantisme urbain est, sous nos yeux, un frappant symbole d'inconséquence et d'autodestruction.

Varsovie, méticuleusement rasée ; Hiroshima, anéantie par la charge nucléaire ; Londres, écrasée sous les bombes ; comme Rotterdam, Stalingrad, Brest, Dresde... Autant de chantiers à reconstruire qui sont devenus des monstres. Déjà les grandes pannes d'électricité qui, en 1965 et 1977, plongèrent New York dans la pagaille et le désarroi, sont une épreuve quotidienne à Téhéran, ou au Caire, et ont atteint Paris. Les embouteillages qui immobilisent les automobilistes sur les échangeurs de Tokyo sont identiques, à quelques fuseaux horaires d'intervalle, dans les avenues de Lagos ou de Caracas.

Lorsque *l'Amoco-Cadiz* fait naufrage sur les côtes

de Bretagne déversant 220 000 tonnes de pétrole brut, cette agression — la cinquième en moins de dix ans — révèle notre comportement de barbare, ignorant ce qu'il détruit. Et le prochain désastre sera non plus la marée noire d'un tanker de 200 000 tonnes mais d'un navire de 500 000 tonnes — à la dernière mode.

En plus de la pollution empoisonnée qu'elle a déclenchée, cette catastrophe a mis en pleine lumière les manipulations fiscales auxquelles se livrent armateurs et sociétés. Ainsi, un navire battant pavillon libérien est la propriété d'une société panaméenne, filiale directe d'un groupe constitué au Lichtenstein, et dont le centre de gestion est à Londres, et le capitaine apatride. Tout est ainsi anonyme et truqué, et la responsabilité est nulle part. Hautement symbolique, et démonstratif.

Nous continuons, par ailleurs, à refuser les priorités élémentaires pour éviter que le chauffage des villes riches ne baisse de quelques degrés, alors que dans la plus grande partie du monde des pénuries complètes redeviennent des réalités quotidiennes.

La consommation annuelle en pétrole de tout le peuple de l'Inde, soit 650 millions d'habitants, est devenue inférieure à celle de la seule ville de New York.

Et tandis que tant d'experts se penchent sur les « scénarios » du déroulement de la pénurie d'énergie industrielle, personne n'évoque jamais l'autre crise de l'énergie, qui atteint la majorité silencieuse de la planète : celle de l'extrême pénurie de bois. Cette crise oubliée du combustible de base pour la cuisson des aliments, et la lutte contre le froid extérieur, torture maintenant la moitié de la population humaine, sur trois continents.

Dans notre monde industriel, si organisé pour lui-même, cette détresse des masses pauvres est perçue, à la TV, comme un spectacle qui s'estompe des esprits après quelques minutes d'émotion.

Les événements m'ont laissé, dès le plus jeune âge, sans illusion sur la lucidité des États.

A chaque instant, leur capacité d'action est battue en brèche. Mais ils continuent à jouer et à faire semblant.

L'autorité morale, ultime recours, sera-t-elle au rendez-vous, de l'Histoire, qui approche ?

Pie XII, durant le génocide nazi, s'est tu. Alors qu'il savait tout. Une occasion historique, comme il s'en présente chaque 2 000 ans, s'offrait à lui. Évoquant ces silhouettes faméliques et harassées, en treillis, parquées derrière les barbelés et les miradors, j'ai toujours pensé qu'il était de son devoir de prendre la Croix sur ses épaules et déclarer à la face du monde : « Ma place est parmi eux ; je les rejoins. »

Jean-Paul II, dont le rayonnement aujourd'hui, quarante ans plus tard, suscite une chaleureuse confiance, doit sans doute sérieusement réfléchir au rôle que, parmi d'autres et avec d'autres, il va être amené à assumer, lui qui est né à proximité d'Auschwitz. Sans être de sa paroisse, je suis de cœur avec lui et lui souhaite d'exercer le courage que son visage ouvert paraît refléter.

**

J'ai appris, il y a longtemps maintenant, à ne jamais laisser l'émotion dominer mes réflexions, ni nourrir mon inquiétude. Je n'ai pas seulement l'espoir que notre monde survive aux épreuves qui s'annoncent ; j'en ai la volonté personnelle.

Telle est la décision qui renaît en moi, face aux prémices de la tempête. C'est à ce moment que ce qui fut mon passé va disparaître irrémédiablement.

Ben vient de mourir.

Après Nico, après Nachman, il a succombé, lui aussi, et comme eux, à quarante-huit ans, à une crise cardiaque.

Quand Judith me téléphona à mon bureau de New York pour me prévenir qu'elle venait d'avoir un appel de Melbourne annonçant que « Ben était très malade », j'eus immédiatement le sentiment de quelque chose de définitif.

Elle finit par m'avouer qu'il était mort. Elle aurait

331

voulu m'habituer progressivement à cette annonce tragique. Car c'était le dernier...

Je suis indifférent à l'idée que la mort m'atteindra un jour. J'entretiens avec elle, et depuis trop longtemps, des rapports trop intimes, pour en éprouver la moindre inquiétude. Mais je n'ai jamais pu m'habituer à ce qu'elle vienne m'enlever ceux qui me sont chers.

Mon père, que j'avais embrassé le matin, et qui ne revint plus.

Ma mère, et ma petite sœur Frida tenant sa main, qui s'éloignaient pour toujours.

Nachman qui, après notre conversation, pleine de pudeur embarrassée, engagée à Singapour, disparu avant que nous ayons pu la reprendre.

Nico qui, à peine retrouvé, après dix ans de séparation, fut terrassé à son tour.

Et maintenant Ben, dernier maillon, dernier frère, silhouette bougonne et trapue, qui m'apostrophait : « N'oublie pas que ton passé, ta vie, sont ce qui compte ! »

Je pris le premier avion. Trente-six heures de vol et d'escales interminables : Atlanta, San Francisco, Honolulu, Fidji, Sydney — Melbourne.

Ce voyage vers l'Australie, comme le premier,

trente ans auparavant, marquait un autre tournant dans mon existence.

En 1947, je rompais avec Landsberg et j'attendais que Ben et Nico me rejoignent.

En 1977, la boucle se bouclait. Ben et Nico, avec qui j'avais inventé l'instinct de survie, n'étaient plus que deux souvenirs dans l'esprit d'un homme proche de quarante-huit ans... qui avait le sentiment d'avoir vécu des siècles, mais aussi la certitude que tout restait encore à faire, ou à tenter.

Je me rendis au cimetière. Bebka, sa veuve, Paul et Molly, ses enfants, m'attendaient avec plusieurs centaines d'amis pour procéder à l'inhumation.

Je contemplai ces visages. Presque tous des immigrés, ou des enfants d'immigrés, de Bialystok. Patiemment, ils avaient recréé une communauté, une descendance. Dans leur cœur à tous, l'intrépidité tranquille du survivant d'Auschwitz : Ben.

Mes liens avec lui étaient les liens du sang. Le sang de l'holocauste. Quand j'avais faim, il avait faim. Quand on me battait, sa peau éprouvait les douleurs. Quand nous avons échappé à nos tortionnaires, c'était au coude à coude, sous la grêle des mêmes balles.

Quand nous errions, après la guerre, dans l'Europe en ruine, c'était ensemble. Quand nous avions redécouvert, grâce à cette Australie, que la vie avait un sens — c'était encore ensemble.

J'ai cru trop longtemps que nous étions immortels et qu'un jour je trouverais le temps de le rejoindre tranquillement pour l'écouter à loisir.

Je sais maintenant qu'il n'en sera rien. Venu de l'autre bout du monde pour ses obsèques, j'enterre, avec lui, l'avant-dernière partie de moi-même.

La dernière part, c'est ce qu'il me reste à accomplir, et qui n'est encore qu'ébauchée.

C'est ce que ma mère m'a confié en me redonnant la vie, au moment d'aller mourir.

C'est ce que les millions de martyrs de l'holocauste ont légué, ordre imprescriptible, aux quelques-uns qui ont survécu : « Plus jamais ! »

Cet ordre m'habite.

Cet ordre est celui d'aider l'espoir à triompher sur les forces de dislocation, d'empoisonnement, et de mort, qui, sous mes yeux, rendent les hommes impuissants et fous — prêts à s'immoler.

Je vais te dire, Ben, à toi sur qui maintenant tombe la terre, lentement, par pelletées : l'espoir, ton espoir, celui de tous ceux qui, par respect de la vie, détestent les croisades et les fanatismes, notre espoir vivra — je te le promets.

334

Tu sais, je vais l'annoncer à tout le monde, à toutes les citadelles, orgueilleuses et mensongères, que nous avons vu, toi et moi, s'effondrer devant l'homme quand il a le cœur de ne pas désespérer.

Ben, je retourne travailler.

L'Espoir

15

A me voir aujourd'hui, personne ne devinerait mon passé. Aucune cicatrice visible, ni physique, ni psychologique. Ma voix est modérée, mes manières sont d'une aisance naturelle à mon environnement professionnel et familial.

L'étincelle de vie, que le petit garçon avait conservée dans les profondeurs de l'enfer, est devenue une flamme, qui n'est plus menacée d'extinction. D'autres vies heureuses se sont organisées autour de moi et j'y vois, chaque jour, des êtres que j'aime, venus prendre la relève de ceux qui, pour la dernière fois, s'étaient réunis autour du feu allumé par mon père dans notre maison, au moment de l'adieu... un jour à la fois si proche et si lointain !

Quand ma mère me poussa loin d'elle, dans le monde adulte le plus brutal, avec cette intuition profonde qui me donna la chance de vivre, elle créa du même coup chez moi un devoir sacré.

Juste après la guerre, je compris d'abord que ma première obligation était de servir de tissu vivant, transplanté entre tous ceux de ma famille qui avaient succombé et ceux qui étaient éparpillés dans plusieurs parties du monde.

Aucune hésitation non plus sur le chemin dans lequel m'engager : renaître moralement et intellec- tuellement. C'était la seule réponse, la vraie ven- geance, même à l'échelle infime de la vie d'un seul homme, à l'entreprise de génocide d'Adolf Hitler.

Puis à mesure que les années passaient, je me sentis de plus en plus attaché à la communauté humaine, et enfin à l'ambition d'une véritable construction de la paix ; prenant conscience que les horreurs que j'avais connues pouvaient de nouveau fondre sur le monde.

Cette vocation devint une préoccupation constante, bien au-delà de mes responsabilités professionnelles et amicales.

La sagesse m'avait appris à ne pas chercher à rouvrir les plaies du passé lorsqu'on croit avoir trouvé le bonheur dans la vie. Je m'étais fermement tenu à cette règle.

Et pourtant peu à peu, en voyant le monde accélérer sa course vers de nouvelles catastrophes, j'ai ressenti un élan qui m'a conduit à déchiffrer plus à fond quelques leçons du passé pour contribuer, si je le peux, à éviter une nouvelle chute, cette fois sans rédemption. D'où cet ouvrage.

En le rédigeant, j'ai bouleversé pour un temps, peut-être pour toujours, la régularité de mon existence.

Je voulais livrer cette histoire, non pas comme un discours bien policé pour une conférence, ou un livre sur des sujets juridiques et économiques de ma compétence, ou encore un dialogue approfondi avec des penseurs de marque. Tout cela n'a jamais vraiment rendu compte de ce que j'ai connu et appris dans sa vérité de chair et de sang : la dégradation absolue où peut se précipiter une haute civilisation, comme celle qui sombra devant mes yeux.

Il s'agissait donc de défricher un chemin entre l'histoire vécue hier et les défis d'aujourd'hui, au-delà des textes et des théories, en retrouvant cette voix dont Ben craignait que je l'aie perdue en passant ma vie parmi des hommes hautement cultivés — en Australie, en Amérique ou en Europe. Il fallait que je sorte de ce milieu raffiné où tout se dit à demi-mot, où les règles de conduite et les limites des sujets convenables m'éloignaient, en effet, de cette émotion viscérale, ressentie lorsque, autrefois, enfant submergé par la détresse, j'avais osé maudire Dieu, m'élevant dans mon innocence à son niveau, pour engager la bataille contre la fatalité.

En repensant au temps écoulé depuis ce jour d'été où, sous les coups des slogans et des bombes, se déchira en lambeaux tout ce que j'avais été et tout ce que j'aimais, où je vis un monde s'effondrer, j'ai senti que je devais maintenant me taire ou aller jusqu'au bout de ce qui était humainement possible pour tenter de conjurer l'horreur qui viendrait déchirer l'avenir.

Cette angoisse vitale s'est nourrie de l'analyse rationnelle des problèmes qui s'accumulent, et s'est accentuée aussi par cette intuition, ce sixième sens, qui m'avait si bien servi dans ma lutte pour la vie. Le mobiliser de nouveau, au moment où je crois entendre le retour des pas du monstre — tel a été le but de mon travail.

L'idée d'un « Auschwitz global » n'est bien sûr qu'une métaphore. Ce que je ressens est beaucoup plus concret. Je constate une incohérence, un affaissement intérieur, qui ressemble fort à ceux qui submergèrent autrefois mon univers. Il me paraissait paralyser les responsables qui doivent prendre des décisions avec une marge de manœuvre terriblement étroite.

L'angoisse est d'autant plus saisissante que les problèmes et les solutions sont sans rapport « politique » avec ceux d'il y a quarante ans. Le sursaut, le salut, exigent aujourd'hui une analyse toute différente et des modalités d'action infiniment plus délicates.

Le mal, dans l'Europe des années 30, était identifiable. L'action nécessaire pour lui faire face l'était donc aussi. Aujourd'hui, le monde est radicalement différent : nous référer de trop près au passé conduirait à de graves erreurs intellectuelles et stratégiques.

Quand les crises arrivent, les responsables politiques cherchent toujours et avant tout à dénoncer des boucs émissaires ou une menace extérieure, pour justifier leur impuissance.

Mais cette fois, de tels alibis sont exclus : l'ennemi est à l'intérieur de chacun de nous.

Il s'agit de l'incapacité à créer une volonté commune, à inventer les nouveaux instruments qui nous permettraient d'attaquer les vrais problèmes, universels ou locaux, à l'Est et à l'Ouest, au Nord et au Sud, dans un monde qui ne fait plus qu'un.

De ces évidences, il faut maintenant tirer les conséquences.

Le problème pour chacun, en conscience, est de savoir si nous saurons chasser la paralysie et la peur que nous inspire le caractère inconnu des forces auxquelles nous devons faire face, et si nous retrouverons la volonté acharnée, biologique, de survivre et de gagner : le sang de l'espoir. Cette volonté animale a toujours été la racine de la condition humaine, mais nos sociétés, pendant le bref espace des deux derniers siècles, ont eu le privilège de pouvoir l'oublier. Elles ont, avec aisance, dominé et exploité un monde passif. Ce répit est parvenu à son terme.

L'ordre de nos valeurs et de nos priorités ne sera plus jamais le même dans un monde où des masses humaines vivent encore sans droit au travail, sans droit à la santé, sans droit à l'éducation, sans droit même à la nourriture, et veulent à tout prix en sortir.

Personne ne peut affirmer que ces hommes, sans même « le minimum vital », ni nous-mêmes, dans une situation analogue, ne seraient pas prêts à signer avec soulagement l'abandon de toute liberté et de tous les droits élémentaires, pour un peu de nourriture qui leur permettent de survivre un jour de plus : j'ai vu, et j'ai vécu la capitulation d'un être, d'un enfant, rongé, obsédé, par la faim devant un verre de lait et un minuscule morceau de pain.

Si notre société n'a pas l'audace d'opérer les

réformes qui visent à déraciner les antagonismes, classe contre classe, génération contre génération, sexe contre sexe, race contre race, région contre région, alors nous finirons nos jours sur cet archipel des camps et des goulags auquel il s'agit justement d'échapper.

Nous sentons bien, nous voyons bien la complexité infinie des dangers, la faiblesse des systèmes, la dérision des vérités universelles... Peut-on, à l'examen de ce monde éclaté, tenter de cerner un peu mieux le problème, pour avancer ? Je le crois.

Si l'on se complait dans la délectation morose de ce qui serait une « crise planétaire », sans précédent et sans limite, au-delà des forces humaines, on en est fasciné, paralysé, anéanti — et c'est l'abdication.

Mais l'univers n'est pas si simple et le premier acte est d'ordre mental : comprendre, clarifier.

Lorsqu'on dit, par exemple, qu'il y a, à l'assaut du « monde industriel », la masse innombrable des « pays sous-développés », et que cette confrontation brutale est la marque même « inexorable et insaisissable » de notre époque, on stérilise, par simplisme, toute capacité de perception. Le monde n'est pas ainsi.

Dorénavant, la partie essentielle se joue entre cinq pôles distincts : l'Asie, le Moyen-Orient, l'URSS, l'Amérique, l'Europe. En distinguant leurs forces et leurs faiblesses, en cernant les dangers les plus immédiats, on aura délimité le champ de l'action et du possible.

Le phénomène dominant est l'essor asiatique. La capacité sans égale du Japon, à découvrir, à inventer, à changer, à organiser, à gérer et à conquérir — en prix comme en qualité — a maintenant développé ses effets et ses réseaux sur tous les marchés.

De plus, en se branchant, un par un, sur les autres pays d'Asie — Corée, Formose, Singapour, Philippines, Chine — il bâtit à vive allure une puissance productrice sans pareille et, pour le moment, irrésistible. On commence à en subir le choc dans chacune de nos industries, chacune de nos villes, chacun de nos marchés.

Ceux qui voudraient croire, pour se rassurer, que cette concurrence vise seulement les « industries traditionnelles » (textile, chantiers navals, sidérurgie, équipement ménager) sont de plusieurs années en retard, par l'illusion d'une supériorité qui ne repose plus sur rien : il n'y a aujourd'hui aucune technologie, aucune industrie de pointe, que l'immense machine asiatique, fondée certes sur la masse, mais d'abord sur l'intelligence et la méthode, ne puisse maîtriser. C'est un défi total.

La deuxième émergence de la nouvelle économie mondiale, est issue de la conjonction dans le monde islamique, de l'utilisation méthodique des richesses pétrolières et de la renaissance d'une passion religieuse millénaire. Elle forme, au Moyen-Orient, et

344

dans toutes ses ramifications, des foyers puissants dont il reste à prendre la vraie dimension.

Voilà pour le premier rang. La puissance créatrice de l'Asie, la mobilisation de la richesse arabe, dominent. Certes elles demeurent l'une et l'autre militairement vulnérables. Mais cela a-t-il encore un sens ? Imagine-t-on d'aller éteindre les flammes de l'Islam avec des divisions blindées ou de freiner la science asiatique avec des bombes ? ... Nous qui n'avons pas fini d'expier Hiroshima, nous qui voyons déjà le yen devenir, comme jamais, la plus puissante monnaie du monde.

Reste l'Union soviétique, immense, richissime dans son sous-sol, armée jusqu'aux dents, inexpugnable, dont les desseins demeurent mystérieux, quadrillée par un appareil bureaucratique et idéologique qui la blinde.

Reste l'Amérique, qui rassemble ses forces, après les humiliations d'une dispersion irréfléchie, et qui est toujours, le continent le mieux organisé et le mieux pourvu dans tous les domaines, le peuple le plus réformiste et maintenant le plus aguerri, la société la plus avancée.

Enfin, l'Europe. De tous ces mondes entrelacés, l'Europe est le plus démuni, le plus vulnérable et le plus affaibli. Là est le cœur du problème. Pour l'Europe et pour l'univers.

L'Europe occidentale est encore aujourd'hui la

première puissance productrice et commerciale — mais presque sans ressource, sans matière première qui ne soit importée. Elle est aussi, pour tous les autres, le premier des débouchés et le premier des marchés. Elle est enfin, sur le plan stratégique, l'enjeu déterminant.

Cette Europe est menacée d'affaissement. Inutile de reprendre la liste de ses industries qui sont en perdition, et de celles qui le seront dans trois, cinq, ou dix ans : elles le sont toutes. Rien de ce que fait l'Europe aujourd'hui qui ne puisse bientôt être fait mieux et moins cher ailleurs. Telle est la réalité nue.

Les Européens n'en subissent encore qu'un avant-goût. D'un jour à l'autre l'étendue du danger apparaîtra et alors, avant même que ses effets mécaniques se traduisent en fermetures d'usines et en arrêts d'activités, ce sera, dans l'angoisse du lendemain, la haine des rivaux, la terreur pour l'avenir des enfants, la dislocation sociale qui peut ravager le berceau de nos civilisations.

Londres, Rome, Paris, Athènes, Berlin, Madrid, Vienne et tant de foyers de l'Histoire. Sait-on à quel point ces villes sont maintenant au bord du déclin ?

Si nous laissons les choses suivre leurs cours, ces hauts lieux de l'intelligence et de la puissance auront le destin des bidonvilles. Mesurons bien ce que représenterait cette abdication devant la fatalité : l'État de Siège...

346

Car l'appauvrissement non préparé, non solidaire, non programmé pour permettre une renaissance, passe par la chute et la dictature. Ici d'abord, dans cette Europe qui se serait de nouveau abandonnée. Mais aussi partout ailleurs sous l'effet des ondes de choc.

L'affaissement de l'Europe mutilerait brutalement l'Amérique : État de Siège.

La disparition de l'Europe comme puissance laisserait la Chine et le reste de l'Asie seules face à l'arsenal soviétique : État de Siège.

L'extinction de l'Europe comme force de rayonnement et d'influence transformerait en jungle les grands espaces d'Afrique, d'Amérique du Sud, de l'Océan Indien : État de Siège.

Enfin, la tentation pour l'Empire soviétique, de se saisir de l'enjeu suprême risquerait alors de devenir irrésistible et achèverait de militariser l'URSS à la fois pour la conquête et pour la protection : État de Siège.

Méditant sur l'immense responsabilité de mes anciens compatriotes d'Europe, parmi lesquels je suis revenu vivre et lutter, je demeure obsédé par la vision que j'eus, le jour de mon premier et unique retour à Auschwitz, lors de la cérémonie officielle du 18 juin. Tous étaient alignés là, en treillis, pour être repérés, neutralisés, expurgés, tous ceux qui pensent et qui croient, boucs émissaires éternels et nécessaires à toute dictature : les Juifs évidemment, les libéraux, les sociaux-démocrates, les savants, les artistes... L'État de Siège exige, exigera, ici et partout, l'élimination de tout ce qui n'obéit pas aveuglément, mécaniquement : c'est le droit et l'arbitraire de l'État, à qui le siège permet tout.

Cette vision m'obsède parce que son avènement, loin d'être l'utopie est dans la nature des choses ; des désordres, des passions, des abandons, qui s'étendent sous nos yeux... Là est l'ennemi : la solution finale.

Cet ennemi est en nous, comme le sursaut doit être en nous.

Le réalisme seul est salvateur. Que l'Holocauste soit vivant, parmi nous, dans notre âme, c'est en vérité la chance de salut. Le sang de l'Holocauste peut transformer l'espoir en avenir.

*
* *

Au centre de ces enchaînements, celui dont tous les autres se nourrissent, est la course échevelée aux armements ; j'ai abouti inlassablement à cette conclusion dominante. Cette course folle est en train de ruiner nos sociétés au moment même où toutes les ressources devraient être consacrées à la difficile solution de nos problèmes réels et quotidiens.

Ainsi l'Union soviétique et les États-Unis, l'Algérie

348

et le Maroc, l'Égypte et Israël, et tant d'autres « rivaux » se retrouvent enlacés dans le même cercle fatal où ils s'épuisent ensemble. La seule question paraît être de savoir lequel succombera le premier à l'hémorragie intérieure.

A côté de l'accumulation des armes thermo-nucléaires et conventionnelles, les négociations interminables et indéchiffrables sur la limitation des armements stratégiques, apparaissent comme des exercices de théâtre. Ce qui progresse sans fin ni pause c'est l'essor, la compétition des industries d'armement.

Rappelons-nous un épisode particulier qui se déroula, il y a près de 20 ans, au début de la Présidence, si prometteuse, de John Kennedy. Il illustre bien la manière dont nos sociétés ont fomenté, à l'intérieur d'elles-mêmes, la menace la plus insidieuse.

Peu après avoir choisi comme ministre de la Défense un homme exceptionnel, qui était Robert McNamara, le nouveau Président lui demande d'établir, dans les plus brefs délais, un rapport précis sur la manière dont il pourrait tenir sa promesse de campagne électorale de rattraper le retard pris par les États-Unis sur l'Union soviétique en matière de fusées nucléaires. C'était le fameux « missile gap ».

Ce n'est pas sans surprise que John Kennedy lut, dans le rapport circonstancié de McNamara, que le

« missile gap » n'avait jamais existé... Que l'Amérique, avec ses 500 fusées intercontinentales, était très en avance sur l'Union soviétique et qu'elle avait les moyens de la détruire plusieurs fois.

Mais il apprit, dans le même rapport, que les chefs d'état-major américains des trois armes réclamaient une augmentation massive de cette panoplie jusqu'à 3 000 engins pour « assurer plus complètement la sécurité nationale ».

En conclusion de son texte, McNamara recommandait au Président d'élever le seuil de l'arsenal américain à 900 fusées.

— « Mais pourquoi, Bob, demanda Kennedy, faudrait-il dépenser des fortunes pour avoir 900 missiles puisqu'avec 500 nous parvenons déjà à anéantir l'Union soviétique plusieurs fois ?

— « Le problème, en effet, répondit McNamara, sans grande joie, n'est guère la logique du conflit avec l'Union soviétique. Si je recommande 900 fusées, c'est qu'il s'agit du minimum nécessaire pour avoir la paix avec notre propre état-major... »

J'imagine très bien comment au Kremlin aussi le même genre de négociation paralyse toute politique constructive.

Or c'est précisément la course aux armements entre l'Amérique et la Russie qui représente, avant tout, le danger le plus grave — celui qui engendre tous les autres.

Non qu'un conflit nucléaire ait un caractère inéluctable. Ces arsenaux immenses des deux côtés sont, en vérité, inutilisables. Il s'agit d'autre chose : ils dévorent, par mille canaux connus et cachés, nos précieuses et rares ressources matérielles et humaines, les énergies et les talents de nos chercheurs et de nos savants et de nos ingénieurs, dont le besoin se fait pourtant si cruellement ressentir sur tous les autres fronts de notre développement.

Si nous n'arrivons pas à mettre un terme à cette rivalité empoisonnée nous serons, tous ensemble, ennemis et alliés, incapables de commencer même à ériger une défense sérieuse contre les véritables défis qui menacent une humanité impuissante : la pauvreté du Tiers Monde, la pollution de la biosphère, les limites de nos ressources naturelles, la dislocation de l'ordre économique et monétaire, la faiblesse des institutions internationales, l'absence de toute loi qui permette d'affronter les problèmes globaux... Sans une réelle et rapide « détente », un freinage volontaire et méthodique de la confrontation entre l'Est et l'Ouest, qui exacerbe les tensions partout, nous tomberons dans une spirale de provocations réciproques, de luttes économiques sauvages, de terrorisme politique et de chaos social.

En Amérique et en Europe, bien des hommes pour qui j'ai le plus réel respect continuent de croire que la principale menace est celle de l'impérialisme soviétique.

351

Je ne souscris pas à cette vue simpliste des choses.

Il m'est difficile de jeter ce regard d'hostilité, voire de haine, sur ce pays et ce peuple qui ont dépensé tant de sang et d'héroïsme pour participer à la destruction du cauchemar hitlérien. Je ne peux oublier ce jeune soldat russe qui, sur la potence, dans un dernier souffle de vie, brisa d'un coup de pied la mâchoire de son bourreau.

Je ne me cache certes pas l'extension préoccupante de la puissance militaire de l'URSS sur les continents et les océans du monde. Mais j'ai appris à savoir que l'idéologie, à laquelle ses chefs continuent de se référer, a perdu depuis longtemps, à leurs propres yeux, de sa crédibilité et de son caractère sacré. Y a-t-il encore aujourd'hui un révolutionnaire au monde, un philosophe quelconque, surtout parmi les nouveaux, qui confère au système soviétique le caractère d'un modèle ?

Ce qui reste, c'est une structure de pouvoir qui se perpétue elle-même et qui, pour le moment encore, est trop enracinée dans sa bureaucratie pour faire front, avec réalisme, aux problèmes que pose l'intérêt vital de la nation qu'ils doivent eux aussi, et avant tout, gérer.

Soixante ans après la Révolution d'Octobre, la patrie du communisme n'est pas encore capable de développer son industrie et son agriculture pour assurer le niveau de vie de son peuple, victime, à chaque étape, d'une austérité insurmontable.

352

Sur ses fronts extérieurs, en Extrême-Orient comme en Occident, la situation soviétique, pour être plus complexe, n'est guère moins vulnérable.

Si le danger militaire soviétique existe, il est engendré aussi par la psychose, transmise à travers les siècles, des invasions répétées. Dénouer ce nœud gordien et créer un autre climat, là est l'espoir. Le dogmatisme, ces visages fermés que j'ai affrontés à la conférence de Kiev, se transformant en rendez-vous à Babi-Yar, je me souviens de chaque instant de ce rude épisode révélateur.

Il faut choisir.

Ou bien nous nous résignons à l'aggravation constante de la confrontation, comme l'accepte, avec toute son autorité morale, Soljenitsyne ; ou bien nous devons viser, avec tous les risques et les aléas d'une telle entreprise, à des compromis qui nous mèneront à un modus vivendi durable avec une puissance militaire qu'il n'est plus question de pouvoir éliminer — sans nous éliminer nous-mêmes.

La réponse aux menaces totalitaires qu'avaient à affronter, dans les années 30, des chefs politiques comme Chamberlain et Daladier était d'une grande simplicité. Elle résidait dans le courage, pur et simple, de faire face ; et de faire face à temps.

Rien de semblable aujourd'hui. Il ne s'agit plus

d'être héroïque face à la guerre thermo-nucléaire. Il s'agit d'être inventif. Ce n'est pas par la force armée, ni par sa menace, que l'on fera plier l'Union soviétique [1].

Pour l'Occident c'est un impératif politique qui doit permettre d'aboutir à un état de co-existence indispensable à la solution des pressants problèmes planétaires.

La Russie ne peut être désormais « conquise » que par une étroite intégration économique avec le monde extérieur. L'avènement d'un respect progressif des droits de l'homme sera, c'est ma conviction, l'inévitable corollaire de cette intégration.

S'il fallait une confirmation supplémentaire des effets nuls, ou négatifs, d'une politique de confrontation, on la trouve dans l'histoire des vingt dernières années.

Ce fut l'époque où la puissante Amérique, qui dominait si clairement le monde par sa supériorité économique et militaire, essaya de continent en continent de faire fléchir l'entreprise soviétique. Le résultat est là : une série d'échecs qui sont allés jusqu'à ronger la vitalité même des États-Unis, avec

1. Interrogé de nouveau, à la fin de décembre 1978, Andrei Sakharov a réaffirmé, de manière encore plus catégorique, la réponse qu'il m'avait faite au cours de notre dialogue en 1973 : « Je pense que la tâche consistant à réduire le risque d'un anéantissement de l'humanité, dans une guerre thermo-nucléaire, a la priorité absolue... La question du désarmement doit être dissociée de toutes les autres questions. »

354

Cuba et la dislocation de l'Afrique, le Vietnam et l'affaissement en Asie, l'Iran et l'isolement des bastions du golfe Persique à partir de foyers révolutionnaires de l'Islam. Faut-il continuer ?

Puisque tel est le bilan de l'utilisation intensive des armes de guerre, le moment est venu d'essayer les autres — à partir d'une vue plus claire de nos vrais intérêts.

Il y a dix ans déjà, je désignais ces autres armes comme « les armes de la paix ». Aujourd'hui, après tant d'événements, le plus souvent imprévus, après tant de déceptions et d'incidents de parcours, qui auraient pu me faire renoncer, je me retrouve avec les mêmes convictions. La paix ne sera assurée que par ces armes-là.

C'est une période historique neuve par rapport à tous les siècles passés.

On peut avoir la nostalgie des épopées des grands conquérants comme Cyrus, fondateur de l'Empire perse, Alexandre, qui conquit l'Orient, César et les légions romaines, Genghis Khan, Isabelle de Castille, Napoléon, et tous ceux que nos manuels d'histoire portent au pinacle comme ayant mené leurs peuples vers la gloire, alors qu'ils les saignaient à blanc. Mais tout ce passé héroïque et lyrique étant évoqué, c'est pour nous permettre de mieux constater qu'aujourd'hui l'Europe reste impuissante, l'immense Chine préoccupée avant tout de son développement intérieur, et l'Amérique elle-même sérieusement épuisée après trente

355

années de responsabilités sur un monde qui s'est peu à peu lézardé sous l'effet de forces neuves et imprévues.

Reste, devant nous, une puissance, un arsenal, qui paraissent encore voués aux entreprises d'expansion : ceux de l'empire soviétique.

Mon sentiment est qu'il n'a pas les moyens d'aboutir, même s'il en entretient l'ambition, à la domination universelle. Mais laissons de côté sentiments, paris et convictions : il faut choisir.

Ou bien nous poussons l'URSS à engager ses ressources, ses moyens et ses hommes dans la construction de ses instruments de conquête ou de défense, en escomptant qu'elle s'y épuisera et que nous resterons spectateurs, à l'abri.

Ou bien nous faisons tout pour aider, au contraire, la Russie à comprendre son intérêt, à changer l'allocation de ses ressources et à s'attaquer sérieusement aux problèmes humains qui, chez elle comme pour nous, détermineront son avenir.

Il faut choisir.

*
* *

Ce qui ajoute à la complexité des problèmes que nous avons à comprendre et à maîtriser, c'est que maintenant chaque pays ne peut compter que sur lui-même.

356

Lorsque ma mère m'exprimait sa conviction profonde que, même si l'Europe se laissait aller jusqu'à l'effondrement, elle serait néanmoins, un jour, sauvée par les États-Unis — « God bless America » — elle exprimait une conviction universelle qui dominait les réflexions de tous les responsables. Il existait en effet un grand pays tout-puissant, richissime et généreux, capable de déployer plus vite que tout autre des armadas vers l'Est et vers l'Ouest, qui allaient dominer des machines militaires aussi redoutables que celles du Führer nazi et du Mikado nippon.

C'est encore ce qui motivait d'ailleurs la démarche récente, dans mon bureau, de ce citoyen d'Europe qui me suppliait de lui obtenir en permanence un visa vers l'Amérique « pour le cas où... » Toujours le mythe du dernier bateau.

Mais, depuis un certain temps déjà, ce « parapluie américain » n'est plus qu'un prétexte pour ne pas chercher en soi-même la volonté de faire face aux dangers de l'univers.

Harcelée aujourd'hui par de très sérieux problèmes intérieurs, comme tout autre nation — l'inflation, le chômage, une monnaie incertaine, la faillite de ses villes — l'Amérique, même si elle le voulait encore, n'a pas les moyens de maintenir des engagements universels. Au fond d'eux-mêmes, les Américains ne demandent qu'à se décharger de ces innombrables obligations internationales qui les ont amenés à tant d'humiliations. Ils veulent pouvoir, enfin, se tourner vers les problèmes humains, les leurs qui les touchent directement.

Telle est la nature et la rapidité de l'histoire que nous vivons : il a fallu moins de vingt ans pour que la puissance économique et militaire, incontestée, en soit arrivée à cette situation de repli.

Je me souviens encore, placé à quelques mètres de lui, de l'éloquence brûlante, du discours inaugural de John Kennedy à Washington, en janvier 1961 à laquelle vibra le monde.

Un jeune chef historique de la nouvelle génération, symbole même, par sa démarche, par son langage, par sa vigueur, de l'Amérique en pleine ascension, mobilisait les énergies et les talents de ses concitoyens pour élever son pays à la hauteur d'un exemple.

Sa conviction intime était que la première des priorités, pour les États-Unis consistait à purifier son corps politique, à rendre responsable chacun de ses citoyens, à humaniser et à renforcer les rapports de solidarité au sein de son pays. Quelle tragédie de voir la bureaucratie militaire et administrative le rendre si aisément impuissant à atteindre ces objectifs, et comme elle dévia son énergie et sa capacité...

Cette Amérique partie pour la gloire, derrière un leader éclairé, et qui rappelait à trente ans d'intervalle la fécondité de Franklin Roosevelt, a fini par aboutir partout à des impasses.

Son propre frère, qui avait été son collaborateur le plus proche, amorça une reconversion radicale après l'assassinat tragique du Président et comprit le premier la réorientation indispensable des priorités vers les problèmes internes, les vrais, avant de périr à son tour. Ce message posthume de Robert Kennedy est devenu peu à peu le fondement de la politique américaine.

Alors, bien des peuples, les Cambodgiens, les Taiwanais, les Libanais, les Israéliens et tant d'autres sont devenus des orphelins sans protection extérieure. Et partout, les chefs politiques ne sont souvent guère plus, à mes yeux, que de jeunes adolescents inexpérimentés à qui l'on a mis des pantalons longs.

*
* *

Avec ce monde actuel, qui paraît totalement neuf, je me sens bien familier. J'ai une certaine idée qui découle de mon expérience, sur ce qu'il va lui falloir à ce stade, à ses leaders et à ses citoyens, comme courage, comme énergie mentale et comme résolution, pour éviter de devenir ces « musulmans » destinés au triage, selon les règles impitoyables de la loi du plus fort.

Ce monde a besoin d'abord de se débarrasser des clichés et des dogmes, encore si dominateurs, mais qui appartiennent à d'autres temps. C'est à cette condition qu'il pourra puiser dans sa propre intelligence et dans sa propre créativité les moyens de vaincre, dans son combat avec les forces de l'inconnue dont nous commençons seulement à ressentir l'immense capacité de destruction.

Cet effort, auquel il faut croire, consistera à permettre à chaque société, à chaque cellule de son organisme, à chaque personne, dans chaque village, cité, région, de développer sa vitalité et sa créativité.

Sans doute aussi exigera-t-il de chacun tour à tour le courage d'accepter de se mettre à genoux pour nettoyer, avec les mains et les ongles, le plancher que martellent toujours, dans tel ou tel coin de notre univers, ceux qui ont éternellement pour tâche d'asservir les autres. Il faudra accepter pour survivre de se reconvertir parfois en Knopflochmachinist; d'être capable de créer une technologie raffinée mais aussi de vendre n'importe où du « bohnen café » ; de conserver avec sagesse chaque once de son énergie et d'apprendre à pêcher au lieu d'attendre qu'on lui donne un poisson.

Il exigera la volonté d'enraciner enfin une solidarité sociale, qui repose sur une meilleure compréhension des drames humains provoqués par une existence qui dépend uniquement d'un petit morceau de pain gris — aujourd'hui le SMIC.

Il faut savoir enfin que rien ne sera possible si la

360

bureaucratie gouvernementale reste cette sentinelle hostile de l'autre côté des barbelés, imaginant que ses ordres continueront à être obéis...

Cet effort, dont dépend notre monde, sera celui de ceux qui auront compris qu'il ne s'agit plus de fournir une vie toute faite à leurs enfants, tâche désormais impossible, mais de leur apprendre simplement, plus modestement, et plus durement, à inventer eux-mêmes leur propre avenir.

Nous touchons à la racine des choses.

Il faut choisir entre l'intelligence et la capacité de l'homme, ou bien les bureaucraties d'États, de Partis, d'Églises.

A la racine est la confiance. Celle qui dès le départ doit exister entre le père et l'enfant, entre la mère et l'enfant, dans un dialogue qui s'éloignera à l'avenir de toute hiérarchie. Une véritable relation humaine où nos garçons et nos filles trouveront leur seule vraie nourriture, leur armure mentale, leur vocation.

Au nom de quoi, d'ailleurs, refuserait-on de faire, pour les œuvres de la vie, pour les décisions forgeant leur propre avenir, la même confiance aux jeunes gens qu'on leur a faite de toute éternité pour aller se faire tuer glorieusement sur les champs de bataille de l'histoire ?

Le seul droit que m'ait conféré ce qu'un destin m'a

fait connaître et subir est celui d'affirmer aujourd'hui qu'une société qui n'est pas capable de conjuguer la passion et l'intelligence de sa jeunesse avec la créativité et le savoir-faire de ses responsables n'a aucun avenir.

Si je peux l'affirmer, c'est que, encore une fois, je suis conscient du fait que rien ne me distinguait particulièrement des autres jusqu'à l'âge où j'ai été projeté en enfer.

Je me rappelle très bien que j'étais en classe, avant que ma ville natale ne devienne la proie des divisions hitlériennes, un jeune garçon comme les autres, tout à fait normal dans les études comme aux jeux. Sans les événements qui ont bouleversé l'histoire comme ma propre vie, je serais aujourd'hui un citoyen comme les autres, exerçant une profession comme les autres, dans ce monde aujourd'hui disparu de Bialystok, si remarquablement décrit par le prix Nobel de littérature Isaac Bashevis Singer. Tout ce que j'ai appris sur ce qui fait et défait les sociétés et les hommes, sur ce qui nourrit ou tarit le sang de l'espoir, c'est dans la douleur, la faim, la peur et l'angoisse.

Je suis seulement une preuve, parmi d'autres, que la rédemption est possible comme la survie elle-même, et dans des conditions qui défient l'imagination.

Je sais, parce que j'ai été devant ces portes, qu'aussi longtemps que nous n'aurons pas pénétré dans la

362

chambre à gaz, qu'aussi longtemps que nous aurons évité l'engrenage thermo-nucléaire nous serons vivants. Vivants, nous aurons toujours une chance d'inventer l'avenir, d'échapper aux pires folies. Le réalisme, c'est d'abord la confiance.

A l'heure qu'il est, les forces de l'absurde sont innombrables et la psychose de démission, individuelle et collective, peut paraître irrésistible.

Mais si le drame qui s'avance est, pour la première fois, à la dimension de toute la planète, ce n'est pas la première fois que l'intelligence humaine est mise au défi par la brutalité et l'aveuglement. Si l'homme a toujours survécu, c'est par la raison, l'innovation, et le courage.

Les idéologies, les haines et les illusions de notre siècle ont provoqué une accumulation de désastres et gaspillé la passion de ceux qui y avaient cru. Elles ont terminé leur existence exsangue et discréditée, en vue des rivages du troisième millénaire.

Mais l'histoire des hommes, elle, est en suspens.

« Plus grave que le sang des hommes est la possibilité infinie de leur destin... permanente et profonde comme le battement du cœur ».

Achevé d'imprimer le 26 février 1979
sur presse CAMERON,
dans les ateliers de la S.E.P.C.
à Saint-Amand-Montrond (Cher)
pour le compte des éditions Robert Laffont
6, place Saint-Sulpice-75279 Paris Cedex 06

Dépôt légal : 1er trimestre 1979.
N° d'Édition : G.1009. N° d'Impression : 210.